DEHONGLI'R DAMHEGION

MYFYRDODAU
AR RAI O
DDAMHEGION IESU

GAN
ELFED AP NEFYDD ROBERTS

CYHOEDDIADAU'R
GAIR

ⓗ Cyhoeddiadau'r Gair 2008

Testun gwreiddiol: Elfed ap Nefydd Roberts

Dymuna'r cyhoeddwyr gydnabod cymorth
Adrannau Cyngor Llyfrau Cymru.

Golygydd Cyffredinol: Aled Davies

ISBN 1 85994 620 8
Argraffwyd yng Nghymru gan Gwasg Gomer.

Cyhoeddwyd gan
Cyhoeddiadau'r Gair, Cyngor Ysgolion Sul Cymru,
Ael y Bryn, Chwilog, Pwllheli, Gwynedd LL53 6SH.

CYNNWYS

Cyflwynedig
i
Dilys
gyda diolch
am ei chariad a'i chefnogaeth
dros bump a deugain o flynyddoedd
yng ngwaith y deyrnas

RHAGAIR

Dilyn *Damhegion Iesu* fel thema rhaglen seiat, yn gyntaf yng Nghapel y Groes, Wrecsam, ac yna yng Nghapel y Berthen, Licswm, a roddodd fod i'r gyfrol hon. Wrth drefnu i wahanol gyfeillion 'agor' ar wahanol ddamhegion yn eu tro, syndod oedd canfod mor brin oedd deunydd addas ar y damhegion yn Gymraeg. Yn 1949 cyhoeddodd Trebor Lloyd Evans ei gyfrol *Damhegion y Deyrnas,* sef casgliad o bregethau esboniadol ar bedair ar bymtheg o ddamhegion Iesu. Ei amcan, meddai, oedd cyhoeddi argraffiad modern o *Ddamhegion Crist,* Owen Evans, a gyhoeddwyd yn 1873. Gwasanaethodd y ddwy gyfrol eu cyfnod yn wych a buont o gymorth mawr i bregethwyr, athrawon ysgol Sul a seiadwyr dros y blynyddoedd. Erbyn hyn y mae galw am gyfrol arall i adlewyrchu esboniadaeth fwy diweddar ac i geisio dangos arwyddocâd a pherthnasedd y damhegion i waith a chenhadaeth yr eglwys heddiw, yn enwedig yr hyn sydd ganddynt i'w ddweud am natur a thwf teyrnas Dduw.

Nid cyfrol i ysgolheigion mo hon ond adnodd i arweinwyr ac aelodau sy'n ymdrechu i gynnal seiadau a dosbarthiadau beiblaidd yn eu heglwysi. Erbyn heddiw y grŵp bychan, nid y gynulleidfa fawr, yw'r norm. Ac allan o grwpiau bychain – seiadau, cyfarfodydd gweddi, grwpiau trafod a dosbarthiadau beiblaidd – y mae'r eglwys erioed wedi profi adnewyddiad ac ailddarganfod ei bywyd ysbrydol a'i chenhadaeth. Ni allaf ond gobeithio y bydd y gyfrol fach hon o rywfaint o gymorth i bobl unwaith eto fynd i'r afael â geiriau Iesu fel y'u ceir hwy yn y damhegion a cheisio deall her ei ddysgeidiaeth am deyrnas Dduw.

Dymunaf ddiolch yn ddiffuant i'r rhai fu'n gefn ac yn gymorth imi wrth baratoi'r llyfr: i Aled Davies o Gyhoeddiadau'r Gair a'm hanogodd i fwrw iddi i roi pìn ar bapur, i Lis Williams, Wrecsam, am fynd drwy'r llawysgrif a chywiro'r iaith a chael gwared o'r brychau, a gwneud hynny gyda'i hynawsedd arferol, ac i seiadwyr selog eglwysi fy ngofal am eu cefnogaeth a'u cyfeillgarwch wrth inni, gyda'n gilydd, drafod a cheisio deall damhegion Iesu.

Elfed ap Nefydd Roberts

CYFLWYNO'R DAMHEGION

Does dim dwywaith mai yn y damhegion y deuwn agosaf at feddwl yr Arglwydd Iesu Grist ac at hanfod ei ddysgeidiaeth. A'r rheswm pennaf dros hynny yw mai geiriau Iesu ei hun a glywn ynddynt. Er bod ôl llaw awduron yr Efengylau i'w weld ar ffurf a chynnwys rhai o'r damhegion wrth iddynt eu golygu a'u haddasu yng ngoleuni ffydd a phrofiad yr Eglwys Fore, eto gallwn fod yn sicrach o ddilysrwydd y damhegion nag o unrhyw eiriau eraill a briodolir i Iesu. Serch hynny, nid dilysrwydd y geiriau yn unig sy'n ei argraffu ei hun arnom, ond agosrwydd a realiti Iesu ei hun, sydd, drwy'r geiriau, yn ein cyfarch ac yn ei gyflwyno'i hun inni. Meddai'r Pab Benedict XVI am y damhegion yn ei lyfr, *Jesus of Nasareth:* ' Here we have a very immediate sense – partly because of the originality of the language, in which the Aramaic text shines through – of closeness to Jesus as he lived and taught.'

Dros y canrifoedd cyffyrddodd y storïau unigryw hyn â chalonnau a dychymyg cenedlaethau o bobl, a hynny oherwydd eu symlrwydd, eu cyffyrddiadau personol, eu cymeriadau byw a'u perthnasedd i angen a sefyllfa pobl ym mhob oes. Er mor bwysig yw deall cyd-destun gwreiddiol y damhegion a chanfod beth a ysgogodd Iesu i'w hadrodd yn y lle cyntaf, ac wrth bwy, gwelwn ar yr un pryd ein bod ninnau heddiw yn wynebu sefyllfaoedd tebyg i'r rhai a ddisgrifir yn y damhegion, a bod gan Iesu air i ni yn ein hoes a'n cenhedlaeth. Oherwydd hynny y mae cadw dysgeidiaeth Iesu fel y'i mynegir yn y damhegion yng nghanol addoliad ac athrawiaeth yr eglwys yn hollbwysig. Fwy nag unwaith yn ei hanes collodd yr eglwys olwg ar Iesu ac ar hanfod yr efengyl oherwydd iddi golli golwg ar ei eiriau ef ei hun. Ni all neb ddeall meddwl Crist ar unrhyw bwnc heb iddo roi sylw gofalus ac addolgar i'w eiriau, ac felly, i'w ddamhegion.

Defnydd Iesu o Ddamhegion
Er i gynnwys y Beibl fynd yn fwyfwy dieithr i'n hoes a'n cyfnod ni, erys damhegion Iesu ymhlith y storïau mwyaf adnabyddus a phoblogaidd a adroddwyd erioed. Camp pob athro yw ei wneud ei hun yn ddealladwy,

8

yn ddiddorol ac yn gofiadwy. Dyna yw diben a gwerth dameg. Mae'n ddarlun mewn geiriau, yn fwy effeithiol at ddiben dysgu na rhaffu syniadau diwinyddol, haniaethol. Defnyddiodd Iesu ddamhegion mor aml fel i Marc ddatgan, ar ôl gosod nifer ohonynt wrth ei gilydd, *'Ar lawer o'r fath ddamhegion yr oedd ef yn llefaru'r gair wrthynt ... heb ddameg ni fyddai'n llefaru dim wrthynt. Ond o'r neilltu byddai'n egluro popeth i'w ddisgyblion ei hun.'* (Marc 4: 33–34) Ond pam y defnyddiodd Iesu'r dull yma o addysgu, ar wahân i'r rheswm amlwg ei fod am wneud ei feddwl yn glir ac yn ddealladwy?

Yn y lle cyntaf, *yr oedd i'r ddameg hanes hir fel cyfrwng addysgu ymhlith dysgawdwyr Israel.* Ceir damhegion yn yr Hen Destament. Yr enwocaf ohonynt yw'r ddameg a lefarodd y proffwyd Nathan wrth y Brenin Dafydd, yn ei gondemnio am anfon Uriah i'w farwolaeth er mwyn meddiannu ei wraig, Bathseba (2 Samuel 2: 1–7). Yn Eseia 5: 1–7 ceir dameg enwog arall – Dameg y Winllan – sy'n disgrifio Israel fel gwinllan Duw, ond gwinllan yn dwyn grawnwin drwg. Erbyn dyddiau Iesu peth cyffredin oedd i rabiniaid ddysgu drwy ddamhegion. Tra bo rhai ohonynt yn debyg i ddamhegion Iesu, er enghraifft, Damhegion y Darn Arian Coll, y Mab Colledig a'r Ddwy Sylfaen, nid oes iddynt yr un ffresni na'r newydd-deb sy'n nodweddu damhegion Iesu. Mawredd Iesu fel athro yw iddo gymryd dull Iddewig, cyfarwydd, o ddysgu a'i ddefnyddio'n llawer mwy effeithiol.

Yn ail, *defnyddiodd Iesu ddamhegion oherwydd eu pwyslais ymarferol.* Yr oedd defnyddio delweddau real, concrit, yn fwy cydnaws â'r meddwl Hebreig. Hoffai'r Groegiaid drafod syniadau haniaethol, athronyddol, a thrafod er mwyn trafod, heb ddod i unrhyw benderfyniadau ymarferol. Roedd gan yr Iddew, ar y llaw arall, fwy o ddiddordeb mewn syniadau oedd yn arwain at weithredu. Y cwestiwn pwysig ar derfyn pob trafodaeth fyddai, *'Beth sydd raid i mi ei wneud?'* O ganlyniad, roedd apêl arbennig mewn storïau fel y damhegion, yn codi o sefyllfaoedd bob dydd ac yn arwain at weithredu ymarferol. Ac nid Iddewon yn unig fyddai'n ymateb i'r dull ymarferol hwn o ddysgu. Tuedd y rhan fwyaf ohonom yw meddwl mewn darluniau ac i lawer nid hawdd yw trin a thrafod syniadau haniaethol. Pe bai Iesu wedi dewis trafod cysyniadau athronyddol a diwinyddol yn unig, ychydig iawn fyddai wedi ei ddeall. Ond oherwydd ei ddealltwriaeth o'r meddwl dynol dewisodd yn hytrach ddefnyddio darluniau geiriol i gyfleu ei ddysgeidiaeth mewn dull clir a dealladwy.

Yn drydydd, *gwelai Iesu werth mewn defnyddio'r cyfarwydd i esbonio'r anghyfarwydd*. Egwyddor bwysig mewn addysg, yn enwedig addysg grefyddol, yw cychwyn gyda'r hyn sy'n gyfarwydd i blant a'r hyn sy'n rhan o'u bywyd bob dydd, a'i ddefnyddio i egluro'r anghyfarwydd. Y diffiniad traddodiadol o ddameg yw 'stori ddaearol ac iddi ystyr nefol'.

Defnyddiodd Iesu bethau daearol o fewn cylch profiad a bywyd beunyddiol ei wrandawyr i ddysgu iddynt am bethau nefol. Gwelai gysylltiad uniongyrchol rhwng y dynol a'r dwyfol, y byd materol a'r byd ysbrydol. Rhoddodd Paul fynegiant i'r un egwyddor: *'Er pan greodd Duw y byd, y mae ei briodoleddau anweledig ef, ei dragwyddol allu a'i dduwdod, i'w gweld yn eglur gan y deall yn y pethau a greodd.'* (Rhuf. 1: 20). Ar garreg fedd Christopher Wren yn Eglwys Gadeiriol Sant Paul ceir y geiriau, *'Os am gofeb, edrychwch o'ch cwmpas'.* Trwy ei ddamhegion dywed Iesu, 'Os ydych am adnabod Duw, edrychwch ar y byd o'ch amgylch.' Gwelai ddarlun o waith achubol Duw mewn bugail yn chwilio am ddafad golledig. Gwelai batrwm o faddeuant Duw ym mharodrwydd tad i groesawu ei fab afradlon adref. Gwelai eglureb o dwf y deyrnas mewn amaethwr yn hau ei had ac mewn hedyn mwstard yn tyfu'n goeden. Gwelai hunanoldeb a phechod y ddynoliaeth yn hanes gŵr goludog yn anwybyddu cardotyn tlawd wrth ei ddrws, ac ynfytyn cyfoethog yn rhoi ei holl fryd ar ymgyfoethogi. Digwyddiadau a chymeriadau real, wedi eu codi o gefndir bywyd cymdeithasol y cyfnod, a bortreadir yn y damhegion. Mae byd natur, ei dymhorau a'i waith – hau a medi a chynaeafu – yn amlwg ymhlith eu delweddau, fel y mae digwyddiadau cyffredin bob dydd megis cerdded ffordd beryglus, cynnau cannwyll, chwilio am drysor, ceisio ffortiwn mewn gwlad bell a stiwardiaeth dros eiddo. O'r sefyllfaoedd dynol, cyfarwydd hyn tywysodd Iesu ei wrandawyr i weld sut un yw Duw a beth yw gofynion bywyd o fewn teyrnas Dduw.

Yn bedwerydd, *mae Iesu'n defnyddio damhegion i orfodi ei wrandawyr i ddod i benderfyniad.* Un o nodweddion amlycaf dameg yw argyhoeddi a dwyn gwrandawyr i weld eu cyflwr a'u hangen eu hunain a deall yr hyn a ddisgwylir oddi wrthynt. Mae dameg fel saeth yn llaw y saethwr, wedi ei hanelu at galon y gwrandawr. Dyma pam y mae Iesu'n dirwyn sawl un o'i ddamhegion i ben gyda'r geiriau, 'Yr hwn sydd ganddo glustiau i wrando, gwrandawed'. Nid oedd am i'w wrandawyr fwynhau dameg fel stori yn unig a bod yn ddiddeall o'i neges a'i hystyr iddynt yn bersonol. Mae bys cyhuddgar yn guddiedig ym mhob dameg, a'r bys hwnnw'n pwyntio'n ddigamsyniol at y rhai a glywodd y ddameg am y tro cyntaf ac atom ni sy'n ei darllen heddiw. Ar rai adegau mae'r bys yn pwyntio at Phariseaid ac ysgrifenyddion hunangyfiawn sy'n ffyrnig yn eu gwrthwynebiad i Iesu, ar adegau eraill at ddisgyblion diddeall sydd am wybod pam nad yw'r deyrnas yn tyfu'n gyflymach, ar adegau eraill at ddynion goludog sy'n rhoi eu holl fryd ar ymgyfoethogi, ar adegau eraill at bobl hunanol sy'n anwybyddu angen y tlawd a'r anghenus, ac ar adegau eraill at rai sy'n ddiffygiol mewn gras, amynedd ac ysbryd maddeugar. Effaith hyn yw fod y damhegion yn barnu, yn aflonyddu, yn codi cywilydd, ac yn cythruddo. Yn achos y Phariseaid a'r arweinyddion crefyddol arweiniodd hyn at benderfyniad i roi taw unwaith ac am byth ar yr athro radical, trafferthus hwn oedd mewn perygl o danseilio eu hawdurdod a'u harweinyddiaeth ymysg y bobl. Meddai'r esboniwr C. W. F. Smith, 'No one would crucify a teacher who told pleasant stories to enforce prudential morality' (dyfynnir gan J. Jeremias, The Parables of Jesus, t. 17). Nid moeswersi dymunol a diniwed yw'r damhegion, ond saethau miniog sy'n hoelio rhagrith, hunangyfiawnder, difaterwch, bydolrwydd a diffyg tosturi.

Dehongli'r Damhegion

Wrth ddehongli ystyr a chenadwri'r damhegion rhaid cadw rhai egwyddorion sylfaenol mewn cof. Yn gyntaf, rhaid gwylio rhag cymysgu rhwng dameg ac alegori. Mewn alegori y mae pob person a gwrthrych yn cynrychioli person a gwrthrych ar wastad uwch. Arfer rhai o Dadau Cynnar yr Eglwys, fel Irenaeus, Origen, Awstin ac eraill, oedd trin y damhegion fel alegorïau. Er enghraifft, wrth drafod Dameg y Samariad Trugarog, awgrymwyd bod y Samariad yn cynrychioli Iesu Grist, y llety yn cynrychioli'r eglwys, y lletywr yn cynrychioli Paul, a'r ddwy geiniog a roddwyd i'r lletywr, y ddwy sacrament o fedydd a'r cymun! Yn sicr, nid dyna'r ffordd i esbonio'r damhegion. Ar yr un pryd, rhaid cydnabod bod rhai elfennau alegorïaidd i'w canfod mewn ambell ddameg, er enghraifft, Dameg y Winllan a'r Tenantiaid (Math. 21: 33–44; Marc 12: 1–11; Luc 20: 9–18). Nid yw'n anodd gweld pwy a gynrychiolir gan y gwahanol gymeriadau. Duw, mae'n amlwg, yw perchennog y winllan. Arweinwyr crefydd Israel yw'r tenantiaid creulon, y proffwydi yw'r gwesteion, y mab yw Iesu ei hun, a'r winllan yw'r deyrnas. Er bod rhai esbonwyr wedi amau dilysrwydd y ddameg hon oherwydd yr elfennau alegorïaidd hyn o'i mewn, gwyddom o gyfeiriadau eraill yn yr Efengylau fod Iesu wedi rhag-weld y Groes ymhell cyn dod ati a'i fod wedi ceisio cael ei ddisgyblion i dderbyn y ffaith fod ei ddioddefaint yn rhan o fwriad Duw. Ceir eglurhad alegorïaidd o Ddameg yr Heuwr hefyd (Math. 13: 18–23, Marc 4: 13–20), ond y mae'n fwy tebygol mai'r Eglwys Fore yn hytrach na Iesu ei hun a fu'n gyfrifol am yr eglurhad. Eithriad yw i Iesu roi esboniad alegorïaidd i'w ddamhegion. Fel arfer nid oes angen esboniad ar ddamhegion Iesu gan fod eu neges yn gwbl glir. Gall eu hesbonio fel alegorïau olygu llurgunio eu priod neges.

Egwyddor bwysig arall wrth ddehongli'r damhegion yw sylweddoli fod pob dameg yn gwneud *un prif bwynt*, ac un yn unig. Er mwyn canfod beth yw'r pwynt canolog rhaid gweld y ddameg o fewn ei chyddestun. Er enghraifft, man cychwyn Damhegion y Ddafad Golledig, y Darn Arian Colledig a'r Mab Colledig yw cwynion y Phariseaid fod Iesu'n cyfeillachu â phechaduriaid. Prif bwynt y tair dameg, felly, yw fod i bob pechadur unigol werth yng ngolwg Duw. Man cychwyn Damhegion y Gwesteion mewn Gwledd a'r Wledd Fawr oedd i Iesu sylwi bod rhai yn dewis seddau anrhydedd mewn gwledd. Prif bwynt y naill ddameg yw pwysigrwydd gostyngeiddrwydd, a phrif bwynt y llall yw pwysigrwydd ymateb i wahoddiad Duw i wledd ei deyrnas. Wedi dweud hynny, y mae ym mhob dameg fanylion arwyddocaol sydd fel y plu sy'n gyrru'r saeth at ei nod. Maent yn cynnwys gwersi a negeseuon sy'n mynd ymhellach na chenadwri ganolog y ddameg. Cyfeiria A. M. Hunter (*The Parables for Today,* t. 4) at sylw Matthais Claudius, esgob Turin yn y nawfed ganrif, a gyffelybodd y damhegion i ffynnon: 'When you draw from the fountain of wisdom it fills up again, and the second truth you derive is fuller and more splendid than the first.' Y mae, heb os, gyfoeth o wirioneddau o fewn y damhegion, ond yr egwyddor bwysig yw canfod yn gyntaf beth yw'r gwirionedd canolog.

Egwyddor arall y mae'n rhaid ei chadw mewn cof yw fod *rhaid gwahaniaethu rhwng geiriau gwreiddiol Iesu yn y damhegion a dehongliad diweddarach yr Eglwys Fore ac awduron yr Efengylau.* Rhaid cofio mai ar lafar y diogelwyd geiriau Iesu i ddechrau ac mai ar lafar y cadwyd hwy am ddeugain mlynedd a mwy ar ôl ei farw a chyn eu cofnodi. Yn yr iaith Aramaeg y llefarwyd hwy, ond yn y Roeg y rhoddwyd hwy ar gof a chadw. Pan aeth awduron yr Efengylau ati i'w gosod mewn trefn a'u hesbonio, roedd ôl meddwl a dysgu a phregethu yr Eglwys Fore arnynt. Mae i'r damhegion felly ddau gyd-destun – eu cyd-destun gwreiddiol yng ngweinidogaeth Iesu, a'u cyd-destun diweddarach yn addoliad a chenhadaeth yr Eglwys Fore. Gellir gweld sut yr esboniwyd y damhegion gan y credinwyr cynnar wrth iddynt eu dehongli a'u haddasu i'w sefyllfa a'u gwaith. Er enghraifft, wrth gymharu fersiwn Luc o Ddameg y Wledd Fawr (Luc 14: 15–24) â fersiwn Mathew (Math. 22: 1–14), gwelir llawer mwy o ôl llaw Mathew ar y ddameg nag yn achos Luc, yn enwedig y cyfeiriad rhyfedd at y brenin yn anfon mintai o filwyr i ymosod ar y gwahoddedigion am wrthod dod i'r wledd, sy'n ymgais i dynnu sylw at gwymp Jerwsalem yn 70 OC a ddehonglwyd fel cosb ar yr Iddewon am groeshoelio Iesu.

Gwelir hefyd fel yr ychwanegodd yr awduron rai o ddywediadau Iesu at ddamhegion. Er enghraifft, ychwanegir y geiriau cyfarwydd, *'darostyngir pob un sy'n ei ddyrchafu ei hun, a dyrchefir pob un sy'n ei ddarostwng ei hun'* at ddiwedd Dameg y Pharisead a'r Casglwr Trethi (Luc 18: 14). Yn yr un modd, yn Nameg y Gwas Anfaddeugar, mae'r meistr yn gorchymyn taflu'r gwas i'r carchar a'i draddodi i'r poenydwyr (Math.18: 34–35), sy'n ychwanegiad amlwg at y ddameg wreiddiol. Os yw'r brenin yn y diwedd yn troi yr un mor ddialgar â'r gwas, mae hynny'n tanseilio holl neges y ddameg!

Y mae gorfod cydnabod ôl llaw yr awduron ar eiriau Iesu yn yr Efengylau yn peri tramgwydd i rai Cristnogion. Ond a ddylem weld bai ar y credinwyr cynnar am ddefnyddio dysgeidiaeth Iesu i'w helpu i ddeall her a galwad yr efengyl i'w sefyllfa ar y pryd? Ni ddylai hyn danseilio ein cred yn nilysrwydd a gwerth y damhegion. Yr hyn a olygir yw fod rhaid inni, wrth eu dehongli, geisio canfod dylanwad meddwl a llaw yr Eglwys Fore arnynt a chloddio'n ddyfnach i ganfod geiriau Iesu ei hun.

13

Y Damhegion a'r Deyrnas

Thema ganolog y damhegion yw teyrnas Dduw. Ni feddyliodd Iesu erioed am y deyrnas fel tiriogaeth neu fel ymerodraeth ddaearol, ond yn hytrach fel teyrnasiad Duw yng nghalonnau, meddyliau ac ewyllys pobl, ac effeithiau hynny ar berthynas pobl â'i gilydd, ar gymdeithas ac ar y byd. Yng nghanol dysgeidiaeth Iesu am y deyrnas ceir mwy nag un paradocs. Dywed fod y deyrnas yn bersonol ond hefyd yn gymdeithasol; yn ysbrydol yn ei hanfod ond iddi hefyd oblygiadau ymarferol; yn realiti yn y presennol ond hefyd i ddod yn ei llawnder yn y dyfodol.

A chan mai teyrnas Dduw yw prif bwnc dysgeidiaeth Iesu mae'n dilyn fod a wnelo'r rhan fwyaf o'r damhegion â nesâd, twf ac agosrwydd y deyrnas a nodweddion bywyd o'i mewn. Ond sut y mae modd i'r deyrnas fod yn realiti yn y *presennol* ac ar yr un pryd fod yn obaith i'r *dyfodol*? Yn Luc 17: 21 dywed Iesu, '*y mae teyrnas Dduw yn eich plith chwi*', neu 'o'ch mewn', neu 'o fewn eich cyrraedd'. Ac meddai yn Luc 11: 20, wrth sôn am arwyddocâd ei wyrthiau, '*Ond os trwy fys Duw yr wyf fi'n bwrw allan gythreuliaid, yna y mae teyrnas Dduw wedi cyrraedd atoch*'. Ond wedyn yn Luc 12: 32, dywed, '*Peidiwch ag ofni, fy mhraidd bychan, oherwydd gwelodd Duw yn dda roi i chwi'r deyrnas*' – hynny yw, ei rhoi yn y dyfodol. Yr ysgolhaig a aeth i'r afael â'r broblem o gysoni'r ddwy elfen oedd C. H. Dodd yn ei lyfr pwysig, *The Parables of the Kingdom.* Haerodd Dodd mai byrdwn neges y damhegion oedd fod y deyrnas wedi dod yn nyfodiad Iesu Grist – yr hyn a elwir yn *eschatoleg gyflawnedig.* Ond gan fod Iesu ar brydiau'n sôn am y deyrnas fel rhywbeth eto i ddod yn ei chyflawnder yn y dyfodol – *eschatoleg eto i'w chyflawni* – yna mae'r deyrnas a sefydlwyd yn Iesu i barhau i dyfu ac ymledu nes iddi gyrraedd ei chyflawnder yn niwedd amser.

Gan mai hanfod y deyrnas yw teyrnasiad Duw, ystyr hynny i Iesu yw ufudd-dod perffaith i ewyllys a gofynion Duw. Yng Ngweddi'r Arglwydd ceir y deisyfiad, '*deled dy deyrnas; gwneler dy ewyllys, ar y ddaear fel yn y nef*' (Math. 6: 10). Iesu yn unig a lwyddodd i gyflawni ewyllys Duw yn llawn ar y ddaear. Ynddo ef y mae'r deyrnas wedi cychwyn, a'i ddymuniad a'i bwrpas ef yw tywys pobl i fywyd tebyg o ufudd-dod perffaith i ewyllys Duw. Iesu yw'r un a ddaeth i sefydlu'r

14

deyrnas. Ef yw'r un sy'n dod drachefn a thrachefn i alw pobl i mewn i fywyd y deyrnas. Ac ef eto a ddaw yn niwedd amser i ddwyn y deyrnas i'w llawnder. Dod i mewn i'r deyrnas yw dod i adnabod Iesu. Byw bywyd y deyrnas yw byw yn debyg i Iesu. Y mae'r damhegion hyn, a lefarwyd gyntaf yng Ngalilea a Jwdea bron i ddwy fil o flynyddoedd yn ôl, yn dal i gyhoeddi'r newyddion da i bobl ein cyfnod ni. Y maent yn ein sicrhau bod y deyrnas a ddaeth yn Iesu Grist yn dal i dyfu ac ymledu; y maent yn dangos i ni sut bobl y mae Duw am inni fod os ydym i gyflawni ei waith yn y byd, ac y maent yn ein herio i dderbyn a dilyn yr Arglwydd Iesu Grist – yr ymgorfforiad o'r deyrnas mewn person.

YR HEUWR

Mathew 13: 1–9; Marc 4: 1–9; Luc 8: 4–8

Yn ôl Mathew, hon oedd y ddameg gyntaf a lefarwyd gan Iesu. Gwnâi'r athrawon Iddewig ddefnydd helaeth o ddamhegion fel dull o ddysgu ac arferiad cyffredin oedd i dorfeydd ddilyn rabiniaid enwog o le i le i wrando arnynt. O gymharu eu damhegion hwy â damhegion yr Efengylau, gwelir bod llawer yn gyffredin rhyngddynt. Ond o ran gwreiddioldeb, cynildeb a chynnwys ysbrydol, y mae damhegion Iesu yn cyrraedd ymhell uwchlaw cynhyrchion y rabiniaid Iddewig. Ef yn sicr yw meistr y ddameg.

Cynulleidfa Iesu

Roedd gwrthdaro eisoes wedi digwydd rhwng Iesu a'r arweinwyr crefyddol ac yr oedd y gwrthwynebiad i'w ddysgeidiaeth a'i waith ar gynnydd. Ar un olwg roedd yn dal yn boblogaidd ymhlith y bobl. Dywed yr hanes fod tyrfaoedd mawr wedi ymgasglu ar lan y môr i wrando arno, *'nes iddo fynd ac eistedd mewn cwch, ac yr oedd yr holl dyrfa yn sefyll ar y lan'* (adn. 2). Ar yr un pryd yr oedd gelyniaeth yr awdurdodau yn fwyfwy amlwg a ffyrnig a chodai hynny gryn bryder ymhlith y disgyblion. Os Iesu oedd Meseia Duw, gwaredwr Israel, pam nad oedd rhai pobl yn credu ynddo, yn enwedig yr arweinwyr crefyddol? Gellid disgwyl cefnogaeth ganddynt hwy o bawb. Pam nad oedd pawb yn ymateb yn eiddgar a diolchgar i'w neges? Ble roedd y bai? Ai ar y neges ei hun? Ai ar y ffordd y cyflwynid hi? Ynteu ai ar y gynulleidfa yr oedd y bai, y bobl a oedd yn gwrando arni? Ergyd y ddameg hon yw fod y bai yn gorwedd gyda'r gwrandawyr.

Yn adn.18–23 ceir eglurhad o'r ddameg sydd braidd yn gymhleth ac yn amlwg yn ychwanegiad diweddarach gan yr Eglwys Fore. Esboniad alegorïaidd a roddir i'r ddameg. Cyfeirir at yr adar fel symbol o'r diafol – syniad oedd ymhell o feddwl Iesu. Mae'r pwyslais ar y rhwystrau sy'n atal i'r had dyfu hefyd yn gamarweiniol. Prif bwyslais y ddameg yw *bod* cynhaeaf yn dilyn ymdrechion yr heuwr, er gwaethaf methiant yr had sy'n disgyn ar dir caled a chreigiog. Barn y mwyafrif o esbonwyr yw mai ailddehongliad o'r ddameg a geir yn yr adnodau hyn; ymgais i'w chymhwyso at anghenion a sefyllfa yr Eglwys Fore. Ond nid oes angen yr esboniad gan fod y ddameg yn ei hegluro'i hun.

Aeth heuwr allan i hau ei had. Mae'n amlwg mai'r heuwr yw Iesu ei hun, ac yn ddiweddarach, apostolion a chenhadon yr Eglwys Fore. Yr had yw'r *gair* – y gair sy'n cyhoeddi dyfodiad y deyrnas a'r bywyd newydd a ddaw yn ei sgil. Yr un yw'r had ym mhobman ac i bawb. Cymerir yn ganiataol felly fod yr heuwr yn gwneud ei waith yn gydwybodol a bod yr had a heuir ganddo o ansawdd da. Mae'r heuwr yn hau heb ystyried natur y tir. Bron na ddywedir ei fod yn hau yn wastrafflyd. Ond y pwynt a wneir yw fod y gair yn cael ei bregethu i bob math o bobl, o gasglwyr trethi i Phariseaid, o bechaduriaid i arweinyddion crefyddol. Y mae pawb yn cael yr un cyfle i glywed y newyddion da, ond nid pawb sy'n ymateb. Ansawdd y tiroedd sy'n amrywio a hynny sy'n cyfrif am yr amrywiaeth eang yn ansawdd y tyfiant. Dyma pam y mae nifer o esbonwyr wedi dadlau mai gwell teitl ar y ddameg fyddai Dameg y Tiroedd, gan fod y pwyslais nid ar yr heuwr nac ychwaith ar yr had, ond ar y gwahanol fathau o dir.

Pedwar Math o Dir

Yr oedd gan yr heuwr yn y ddameg ddigon o had ac fe'i gwasgarodd o'i amgylch yn ddiwahaniaeth. Y canlyniad oedd i'r had ddisgyn ar lawer math o dir, ac ansawdd y tir a benderfynai faint y cynnyrch. Siaradai Iesu o brofiad, oherwydd gwelodd hyn yn digwydd yn ystod ei weinidogaeth ei hun. Llwyddodd i ennill ymateb rhai pobl, methodd gydag eraill, a gellid canfod achos y gwahaniaeth yn y 'tir', sef yn y gwrandawyr. Yn y ddameg y mae'n rhannu ei wrandawyr yn bedwar dosbarth.

Yn gyntaf, *pobl y llwybr.* Ni chaed dim cynnyrch, nac argoel o gynnyrch, o'r math hwn o dir, oedd wedi caledu wrth i bobl gerdded drosto a gwneud llwybr ohono. Gorweddai'r had ar yr wyneb a daeth yr adar i'w fwyta. Mae'r *llwybr* yn cynrychioli'r bobl hynny sy'n clywed y gair ond heb ei ddeall. Ni wna unrhyw argraff arnynt; nid yw'n suddo i'w meddwl na'u personoliaeth. Cafodd Iesu wrandawyr tebyg, mor galed a diymateb ag ochr y ffordd. Yn eu mysg yr oedd llawer o'r

Phariseaid, wedi caledu yn eu hunangyfiawnder, eu pwysigrwydd a'u ffurfioldeb crefyddol. Y mae gwrandawyr o'r fath yma o hyd – pobl â'u calonnau wedi caledu, eu meddyliau ar gau a chrefydd yn golygu dim iddynt. Amhosibl yw cyhoeddi neges yr efengyl i rai na welant unrhyw angen amdani. Amhosibl yw cynnig maddeuant Duw i rai heb unrhyw ymdeimlad o bechod. Gwaith anodd yw cyhoeddi'r newyddion da i wrandawyr caled min y ffordd.

Yn ail, *pobl y lleoedd creigiog.* Tir yw hwn â haen denau o bridd, ond craig oddi tano heb fod ymhell o'r wyneb. Mae'r had yn suddo rywfaint i'r pridd, ond nid yw'n cael digon o ddyfnder daear i wreiddio ynddo. O ganlyniad y mae'n egino'n fuan, ond yn gwywo yr un mor fuan yng ngwres yr haul. Gwrandawyr parod, brwdfrydig, yw pobl y lleoedd creigiog, yn addo pethau mawr, ond eu brwdfrydedd yn darfod ymhen dim. Gwyddai Iesu am bobl o'r fath. Cyfeirir yn Efengyl Ioan at lawer o'i ddilynwyr yn troi yn eu holau ac yn peidio â mynd o gwmpas yn ei gwmni am eu bod yn teimlo ei fod yn gofyn gormod oddi wrthynt (Ioan 6: 66). A cheir pobl y lleoedd creigiog yng Nghymru heddiw fel ym Mhalesteina gynt. Enw cyffredin arnynt mewn rhai ardaloedd yw 'tân siafins'! Y maent yn uchel eu proffes, yn llawn sêl ac egni, ond pan gyfyd y rhwystrau, y gwrthwynebiad a'r erlid, a phan fydd eraill yn beirniadu eu safbwynt, mae eu teimladau'n oeri a dechreuant gilio. Arwynebol yw eu ffydd ac nid yw'r had yn gwreiddio yn eu deall na'u hymddygiad. Y maent yn ddiffygiol mewn dyfalbarhad. Ychydig flynyddoedd yn ôl gwelwyd poster crefyddol doniol ac arno'r geiriau, 'Carpenter from Nazareth requires joiners who are also good stickers!' Un peth yw ymuno, peth arall yw dal ati, yn enwedig yn wyneb anawsterau, difrawder a gelyniaeth. Meddai Iesu, wrth rybuddio'i ddilynwyr o erledigaethau i ddod, *'y sawl sy'n dyfalbarhau i'r diwedd a gaiff ei achub'* (Math. 10: 22). Diffyg dyfalbarhad yw problem pobl y lleoedd creigiog. Maent yn bobl frwd, danbaid, ond am ysbaid yn unig ac yn llosgi allan yn fuan.

Yn drydydd, *pobl y tir dreiniog.* Tir oedd hwn yn llawn drain a mieri. Syrthiodd yr had iddo a chafodd gychwyn da. Ond ni chafwyd cynnyrch am fod gwreiddiau'r drain a'r had yn cyd-dyfu, ac oherwydd bod y drain yn gryfach tagwyd y planhigion tyner a dyfai o'r had. *'Syrthiodd hadau eraill ymhlith y drain, a thyfodd y drain a'u tagu'* (adn.7).

19

Ni ellir tyfu drain a gwenith ar yr un llain o dir. Pobl yw'r rhain nad yw'r efengyl ond un diddordeb ymhlith llawer o ddiddordebau eraill yn eu bywyd. Rhoddant amser iddi pan gânt hamdden i wneud hynny oddi wrth ofalon eraill. Gellir dychmygu i lesu weld llawer o bobl o'r fath ymysg amaethwyr a masnachwyr Iddewig. A cheir nifer fawr o wrandawyr yr efengyl heddiw â chynifer o bethau eraill yn mynd â'u hamser a'u bryd fel nad ydynt yn medru gwneud cyfiawnder â gofynion yr efengyl. Eiddo, arian, gwaith, teulu, diddordebau hamdden – y rhain yw'r drain sy'n tagu'r tyfiant da. Yn ôl lesu Grist, ariangarwch yw'r rhwystr pennaf rhag sylweddoli bywyd y deyrnas. *'Yn wir rwy'n dweud wrthych mai anodd fydd i rywun cyfoethog fynd i mewn i deyrnas nefoedd'* (Math. 19: 23); nid am fod arian ynddo'i hun yn ddrwg, ond oherwydd bod cyfoeth materol yn tueddu i greu ymdeimlad o hunanfodlonrwydd sy'n pylu'r gydwybod, yn gwyrdroi'r meddwl ac yn lladd dyhead yr enaid am werthoedd a bendithion ysbrydol.

Yn bedwerydd, *pobl y tir da.* Ni fuasai cynhaeaf o gwbl pe dibynnid ar y tri thir a ddarluniwyd. Ond yr oedd pedwerydd math o dir i'w gael, sef *'y tir da'.* Caiff yr had gyfle i suddo i hwn, i egino a thyfu a dwyn ffrwyth. Er i'r heuwr wybod bod llawer o'r had yn mynd yn wastraff, nid yw'n digalonni. Fe ŵyr fod tir da i'w gael ac y bydd cynhaeaf. Mae'r tir da yn cynrychioli'r bobl hynny sy'n clywed y gair, yn agor eu calonnau a'u meddyliau i'w dderbyn er mwyn iddo gael cyfle i wreiddio a thyfu yn eu bywydau. Y mae fersiwn Luc o'r ddameg yn diweddu â'r geiriau, *'Ond hwnnw yn y tir da, dyna'r sawl sy'n clywed y gair â chalon dda rinweddol, yn dal eu gafael ynddo ac yn dwyn ffrwyth trwy ddyfalbarhad'* (Luc 8: 15). Mae pobl y tir da yn derbyn y gair yn eiddgar ac 'yn dal eu gafael ynddo'. Hynny yw, y maent yn ymwybodol o'r cyfoeth o wirionedd sydd yn yr had fel eu bod yn benderfynol o dynnu maeth ac ymborth i'w bywydau ohono. Ac y mae Duw yn gofalu bod tir da o'r fath yn bod – calonnau agored, yn barod i ymateb i neges yr efengyl ac i dderbyn lesu Grist yn eiddgar.

Sicrwydd Cynhaeaf

Y mae gwahaniaeth rhwng tiroedd da a'i gilydd, gyda'r had yn ffrwytho, *'peth ganwaith cymaint, a pheth drigain, a pheth ddeg ar hugain'* (adn. 8). Mae'r tri yn diroedd da a chynhyrchiol. Ond y mae gwahaniaeth mewn ffrwythlondeb hyd yn oed yn y tir da ei hun. Ni ellir disgwyl yr un cynnyrch gan bawb, ond os yw pob un yn cynhyrchu yn ôl ei allu, y mae'r heuwr yn fodlon. Ergyd digamsyniol y ddameg yw fod y cynhaeaf yn sicr a diogel, er pob rhwystr a thramgwydd a gwastraff. Y mae hyn yn rhoi hyder i'r heuwr barhau wrth ei waith gan ymddiried yn Nuw. Diweddir y ddameg â'r geiriau, *'y sawl sydd â chlustiau ganddo, gwrandawed'* (adn. 9). Nid yw hynny'n golygu bod y ddameg yn dywyll ac anodd ei deall, ond yn hytrach y dylid meddwl o ddifrif am ei hystyr a'i hergyd. Daw ei neges a'i her yn gwbl amlwg i'r sawl sy'n barod i wneud hynny.

Cwestiynau i'w trafod:

1. Trafodwch pam y byddai 'Dameg y Tiroedd' yn well teitl i'r ddameg hon?

2. Pa un o'r pedwar dosbarth o wrandawyr a welir amlycaf yn yr eglwys heddiw?

3. Beth yw nodweddion 'pobl y tir da' a beth sy'n cyfrif am eu parodrwydd i groesawu neges y deyrnas?

YR HAD YN TYFU

Marc 4: 26–29

Proses dawel, araf, y tu hwnt i'n deall a'n dirnadaeth ni yw tyfiant ym myd natur. Nid ydym yn gweld nac yn clywed hadau'n egino, na blodau'n tyfu, na phlanhigion yn dwyn ffrwyth. Ac eto, mae ôl y broses ddirgel hon yn amlwg wrth inni edrych ar y byd o'n cwmpas. Neges Iesu yn y ddameg fer hon yw fod y deyrnas yn mynd rhagddi'n sicr yn y byd, ac y mae'n cyffelybu ei thwf i had yn tyfu'n dawel, yn ddirgel ac eto'n gwbl siŵr. Y mae cynnydd a llwyddiant y deyrnas yn anochel a di-droi'n-ôl. Mae'n gyffelybiaeth hyfryd, ond a yw'n wir? A welwn ni'r deyrnas yn tyfu ac yn ymledu yn y byd sydd ohoni, fel yr addawodd Iesu? Byddai amheuon wedi codi hefyd ym meddyliau'r disgyblion cyntaf. Pa obaith oedd i'r proffwyd hwn o Nasareth goncro'r byd heb na chleddyf, nac arian, na dylanwad, nac addysg, na chyfundrefn o unrhyw fath i hybu ei ymgyrch? Ond byddai'r ffydd a'r hyder a fynegir yn y ddameg hon, ac yn nameg yr Hedyn Mwstard sy'n ei dilyn, wedi adfer eu gobaith.

Yr Amaethwr yn Hau

Amaethwr sydd yma yn bwrw had i'r ddaear. Wedi iddo wneud popeth angenrheidiol i drin ac i lanhau'r tir mae'n mentro allan i hau ei had. Wedi gorffen hau nid oes mwy i'w wneud ond ymddiried yn yr haul, y glaw, y ddaear, yr had, ac yn fwy na dim y broses ddirgel, ryfeddol honno o egino a thyfu a dwyn ffrwyth nad yw dyn yn deall dim amdani. Yn y cyfamser mae'n troi i gyflawni ei ddyletswyddau eraill yn ddibryder: '*ac yna'n cysgu'r nos a chodi'r dydd*' (adn. 27); yr oedd trefn y diwrnod Iddewig yn cychwyn gyda'r nos. Tra bydd ef yn disgwyl yn ffyddiog ac yn amyneddgar mae'r ddaear, gyda chymorth Duw, yn gwneud ei gwaith yn dawel; yr had yn egino ac yn tyfu o nerth i nerth yng ngrym egnïon y ddaear yr heuwyd ef ynddi. Er nad yw'r amaethwr yn deall dim ar yr egnïon hynny nac yn medru esbonio'u gweithgarwch, mae'n ymddiried yn llwyr ynddynt. Wedi hir aros daw'r cynhaeaf ac y mae galw eto am waith a chyfraniad dyn. Fel y daw gwaith yr heuwr i ben gyda'r hau, mae gwaith y medelwr yn dechrau gyda'r cynhaeaf. Ystyr y *'cynhaeaf'* yn y cyswllt hwn yw'r deyrnas yn dod i'w llawnder ar ddiwedd amser. Ceir yma adlais o eiriau'r proffwyd Joel: *'Codwch y cryman, y mae'r cynhaeaf yn barod; dewch i sathru, mae'r gwinwryf yn llawn'* (Joel 3: 13). I Joel, roedd y cynhaeaf yn symbol o ddydd y farn, gyda dyfodiad y deyrnas yn dilyn. Golyga hynny fod y gwaith tawel di-nod o hau'r had a disgwyl iddo dyfu a dwyn ffrwyth yn arwain yn y diwedd at uchafbwynt rhyfeddol, sef dyfodiad y deyrnas yn ei llawnder a'i gogoniant.

Twf y Deyrnas

Teyrnas Dduw, sef teyrnasiad Duw dros fywyd – bywyd yr unigolyn a bywyd y byd – yw hanfod dysgeidiaeth Iesu o Nasareth. Dywed fod y deyrnas *wedi* dod, ond ei bod i ddod eto yn ei llawnder ar ddiwedd amser. Marc yn unig sy'n adrodd y ddameg hon. Iddo ef mae'r ddameg yn atgof fod y deyrnas wedi dod yn Iesu Grist. Mae'r had wedi ei hau yn y ddaear, ond nid yw pawb yn ymwybodol o hynny. Rhaid aros i'r had egino'n dawel a dirgel cyn i'w dyfiant ddod yn amlwg. Ond fel y mae'r had yn egino ac yn tyfu fe ddaw'r deyrnas i'r amlwg trwy rym Duw.

Problem y disgyblion oedd eu bod yn methu gweld arwyddion *fod* y deyrnas yn tyfu. Yr un yw'n problem ninnau, yn enwedig yn y dyddiau hyn pan yw ffydd ar drai, yr eglwys yn colli tir a'r dylanwad Cristnogol yn crebachu. Neu dyna'r darlun a welwn yn y byd gorllewinol. A phan edrychwn ar y gymdeithas o'n cwmpas gwelwn gynnydd mewn terfysgaeth, torcyfraith, llofruddiaethau, yn y camddefnydd o gyffuriau ac mewn annhegwch economaidd, rhyfel, gormes ac anghyfiawnder. Anodd iawn yw gweld arwyddion fod teyrnas Dduw ar gynnydd. Ond y mae gan y ddameg wersi pwysig i'w dysgu inni pan gawn ein temtio i ddigalonni ac anobeithio.

Duw ar Waith

Yn gyntaf, *fe ddaw y deyrnas yn ei holl ogoniant, ond trwy waith Duw ac yn ei amser ef.* Mae Iesu am sicrhau y rhai sy'n colli amynedd oherwydd diffyg cynnydd fod y deyrnas yn sicr o ddod yn ei llawnder.

Roedd y Selotiaid yn credu y gellid prysuro dyfodiad y deyrnas trwy rym arfau. Credai'r llenorion apocalyptaidd y gellid dyfalu amser ei dyfodiad trwy ddarllen arwyddion yr amserau. Mae canran uchel o Gristnogion adain dde America heddiw yn mynnu eu bod hwythau'n gweld arwyddion o ddiwedd y byd mewn digwyddiadau gwleidyddol, yn enwedig yn y Dwyrain Canol. Credai'r Phariseaid, ar y llaw arall, y gellid hybu dyfodiad y deyrnas drwy ufudd-dod manwl i ofynion y Gyfraith. A hyd heddiw y mae Cristnogion sy'n argyhoeddedig y gallent brysuro'r diwedd trwy eu sêl genhadol ac efengylaidd. Ond neges Iesu i'w ddilynwyr yw iddynt ymddiried yn Nuw, disgwyl yn amyneddgar a gobeithiol amdano, a gadael iddo ef benderfynu pryd yn union y mae'r deyrnas i ddod.

Yn ail, *er bod ei thwf o'r golwg, y mae'r deyrnas yn rym bywiol, parhaus.* Nos a dydd, tra bydd yr amaethwr yn cysgu ac yn codi y mae natur yn gwneud ei waith. Mae'r broses ddirgel o egino a thyfu yn digwydd yn gyson, ond o'r golwg. At ei gilydd y mae gweithgaredd dynol yn ysbeidiol, fesul plwc. Cymerwn un cam ymlaen a dau gam yn ôl. Ond parhau'n gyson y mae gwaith Duw. Mae ei Ysbryd yn hydreiddio'r cread, yn anadlu bywyd i bopeth byw, yn bywhau eneidiau meirwon, yn tywys pobl i wybodaeth newydd, yn cysuro, yn cynnal, yn calonogi ac yn arddel gwaith a thystiolaeth yr eglwys. Er mor bwysig yw cydweithio â Duw yng ngwaith y deyrnas, nid trwy ymdrech ddynol wyllt, bod wrthi fel lladd nadroedd, y mae hybu'r deyrnas, ond trwy ymddiried yn dawel yn y grym bywydol, dwyfol, sy'n gyson yn cynnal ac yn estyn y deyrnas. Dywedodd Martin Luther ryw dro, 'Tra byddaf yn yfed fy ngwydraid o gwrw Wittenberg, mae'r efengyl yn mynd rhagddi!'

Nid trwy chwys a llafur dynol y mae sicrhau twf y deyrnas, ond trwy diwnio i mewn i rym a bywyd yr Ysbryd nad yw byth yn darfod nac yn peidio. Fel y mae'r had yn cael dyfnder daear er mwyn tynnu maeth o'r pridd, rhaid i'r enaid dynol hefyd wrth ddyfnder daear, sef gweddi, cymundeb â Duw, gwrando arno a chaniatáu i'w fywyd ef lifo i mewn i'n bywyd ni. Wedi i'r amaethwr yn y ddameg hau ei had, wedi iddo wneud ei gyfraniad arbennig ei hun i'r gwaith, y mae wedyn yn cyflwyno'i feysydd i ofal Dduw, *'yn cysgu'r nos a chodi'r dydd'* (adn. 27), ac yn ymddiried yn y gwaith dwyfol, bywiol, sy'n parhau'n gyson ac o'r golwg. Meddai Iesu yn Efengyl Ioan, '*Y mae fy Nhad yn dal i weithio hyd y foment hon, ac yr wyf finnau'n gweithio hefyd'* (Ioan 5: 17). Gweithio gyda'i Dad y mae Iesu, ac y mae'r grym dwyfol yn gweithio trwy ei waith ef.

Yn drydydd, *uchafbwynt dyfodiad y deyrnas yw'r cynhaeaf.* Uchafbwynt tyfiant ym myd natur yw medi ffrwyth y gerddi a'r meysydd. Y cynhaeaf yw hunanaberth hael, enfawr, blynyddol natur, wrth iddi ei rhoi ei hun a'i chynnyrch i ddyn ac anifail, a hynny o flwyddyn i flwyddyn. Y cynhaeaf yn y ddameg hon yw'r deyrnas yn dod i'w llawnder ac yn cyflwyno i Dduw ffrwyth bywyd, gweinidogaeth ac aberth Iesu Grist, sef y byd cyfan a holl bobl y byd. Ym mhob cynhaeaf y mae dau beth yn digwydd. Cesglir yr ŷd, y gwenith a'r ffrwyth da, a llosgir y chwyn a'r efrau. Y mae'n bosibl bod awgrym o farn ac o ddidoli rhwng da a drwg yn y darlun o'r cynhaeaf, yn enwedig o gofio fod adn. 29 yn adlais o eiriau'r proffwyd Joel.

Byddai'r Eglwys Fore hefyd yn cysylltu'r syniad o gynhaeaf â'r Farn ar ddiwedd amser, yn enwedig y cyfeiriad at y medelwr '*ar unwaith â'r cryman'* (adn. 29), a'r didoli rhwng yr ŷd a'r efrau. Ond y mae'n fwy tebygol y byddai'r Cristnogion cynnar yn esbonio'r cynhaeaf fel darlun o'r deyrnas yn dod i'w llawnder gyda holl genhedloedd a phobloedd y byd yn derbyn ac yn dilyn Iesu Grist. A'r un neges o obaith sydd yn y ddameg i ninnau. Bydd yr hyn sy'n ymddangos ar hyn o bryd yn wan, yn fregus, ac yn ddi-nod, yn y diwedd yn arwain at fuddugoliaeth ryfeddol y deyrnas dros bawb a phopeth. Ni all dryswch a phechod y ddynoliaeth, y rhaniadau a'r rhyfeloedd, yr anghyfiawnder a'r gormes, y tlodi, yr adfyd, y newyn, y camgymeriadau a'r camau gwag, atal pwrpas tragwyddol Duw. Drwy holl helyntion hanes y mae Duw yn gweithio allan ei bwrpas mawr ac yn arwain pobloedd a chenhedloedd y byd i gynhaeaf gogoneddus ei deyrnas. Er na fedrwn ni weld arwyddion o gynnydd y deyrnas, mae'r had wedi ei hau, mae prosesau dirgel Duw ar waith, ac ni fedrwn ond ymddiried ynddo a gweddïo gyda'r emynydd:

Doed, O Dduw, O doed dy deyrnas,
gad in weled blaen ei gwawr
yn ymledu dros y gwledydd,
doed, O doed yr hyfryd awr:
yng nghyflawnder gras tyrd atom,
tyred â'th achubol ddawn,
ychwanega'n ffydd i gredu
yn dy fuddugoliaeth fawr.
(Elwyn P. Howells, 1920–99).

Cwestiynau i'w trafod:

1. A yw'n wir dweud fod y ddameg hon yn dysgu i ni ymddiriedaeth ac amynedd?

2. Beth yw arwyddocâd y pwyslais yn y ddameg ar Dduw'n gweithio'n gyson a pharhaus?

3. Yn y byd aml-grefyddol sydd ohoni heddiw a yw'n briodol sôn am y byd i gyd yn cael ei ennill i Iesu Grist?

YR HEDYN MWSTARD

Mathew 13: 31–32; Marc 4: 30–32; Luc 13: 18–19

Gwelai Iesu debygrwydd rhwng teyrnas nefoedd a theyrnas natur. Gwelai ym myd natur ddrych o'r deyrnas, o'i thwf, ei lledaeniad a'i ffrwyth. A delio â dirgelwch cynnydd y deyrnas y mae yn y ddameg fer hon. Cyffelybir y deyrnas i'r hyn a ddigwydd pan yw dyn yn cymryd gronyn o had mwstard a'i hau yn ei faes. Dywedir mai'r hedyn mwstard yw'r *'lleiaf o'r holl hadau'* (adn. 32). Nid yw hynny'n llythrennol wir, ond mewn llenyddiaeth Iddewig yr oedd yr hedyn mwstard yn ddihareb am ei fychander ac fe'i defnyddir felly gan Iesu ei hun pan yw'n sôn am ffydd fel hedyn o had mwstard: *'Os bydd gennych ffydd gymaint â hedyn mwstard, fe ddywedwch wrth y mynydd hwn, "Symud oddi yma draw," a symud a wna'* (17:20). Er ei fod yn ddiarhebol o fychan, gallai'r hedyn mwstard dyfu'n goeden wyth i ddeg troedfedd o uchder ac yn ddigon mawr *'fel bod adar yr awyr yn dod ac yn nythu yn ei changhennau'* (adn. 32). Felly y bydd y deyrnas yn tyfu ac yn ymledu, yn ôl y ddameg, o gychwyn mor fach a dinod.

Y Ddameg a'r Disgyblion

Roedd gan y ddameg hon neges arbennig i ddisgyblion Iesu. Y broblem iddynt hwy oedd fod cyn lleied o ymateb i Iesu a'i ddysgeidiaeth am y deyrnas. Cyhoeddodd Ioan Fedyddiwr fod teyrnas nefoedd wedi dod yn agos ac y byddai'n ysgubo popeth o'i blaen (Math. 3: 7–12). Ar ddechrau gweinidogaeth Iesu gwelwyd tyrfaoedd yn ei ddilyn o le i le a disgwyliai'r disgyblion am bethau mawr i ddod. Ond fel y cynyddai'r gwrthwynebiad o du'r awdurdodau dechreuodd y tyrfaoedd gilio a dichon i'r disgyblion deimlo'n siomedig wrth weld y niferoedd yn lleihau. Yn wir, aeth Ioan ei hun i betruso ac anfonodd neges o'r carchar trwy ei ddisgyblion a gofyn, *'Ai ti yw'r hwn sydd i ddod, ai am rywun arall yr ydym i ddisgwyl?'* (Math. 11: 3). Ac y mae lle i feddwl fod Iesu ei hun yn digalonni ar brydiau. Cafodd ei siomi gan yr ymateb llugoer i'w genadwri yn Nasareth. Gwelsai'r meysydd yn wyn i'r cynhaeaf ond y

27

gweithwyr yn brin. Yn wyneb hyn, dangosodd yn y ddameg hon mai o ddechreuadau bychain y codai'r deyrnas, ond y byddai ei thyfiant yn y diwedd yn eithriadol ac yn amlwg i bawb.

Cynnydd y Deyrnas Heddiw

Y mae problem cynnydd y deyrnas wedi pwyso ar feddyliau Cristnogion ym mhob oes ac y mae'n sicr yn pwyso'n drwm arnom ni. Roedd methiant ymddangosiadol y deyrnas yn fwy o broblem nag a ddylai fod i'r disgyblion cyntaf am eu bod hwy, fel y rhelyw ohonom, yn gwneud y camgymeriad o fesur ffyniant a llwyddiant yn nhermau'r byd hwn. Egwyddor lywodraethol Oes Victoria oedd y gred mewn cynnydd a datblygiad: cynnydd mewn diwydiant, masnach, gwyddoniaeth, gwleidyddiaeth, cyfoeth, ac wrth gwrs, lledaeniad yr Ymerodraeth Brydeinig. Aethpwyd i uniaethu teyrnas Dduw â gwareiddiad y Gorllewin. Yn nechrau'r ugeinfed ganrif, ac yn enwedig ar ôl y Rhyfel Byd Cyntaf, ymledodd ymdeimlad o fethiant a dadrithiad a chwalwyd optimistiaeth y ganrif flaenorol. Dechreuodd y llanw droi ym myd crefydd hefyd a gwelwyd dirywiad a lleihad yn aelodaeth, gweithgarwch a dylanwad yr eglwysi. Erbyn dechrau'r unfed ganrif ar hugain caewyd miloedd o gapeli ac eglwysi ar hyd a lled y wlad ac aeth y proffwydi seciwlar i ddarogan tranc crefydd yng ngwledydd y Gorllewin. Ond dengys Iesu y gall teyrnas Dduw ddod mewn argyfwng, a dod i herio methiant dynol. Tra bo Cristnogaeth yn ymddangos fe pe bai ar drai yn Ewrop, y mae pob tystiolaeth ei bod yn ymledu'n gyflym yng ngwledydd Affrica, Asia ac America Ladin, a bod yr eglwysi yn y gwledydd hynny'n cynyddu'n gyson. Ond nid yn nhermau llwyddiant allanol, ystadegol y mae mesur llwyddiant y deyrnas. Nid yr un peth yw teyrnas nefoedd â'n systemau a'n cyfundrefnau ni. Bywyd ysbrydol, mewnol, yw teyrnas Dduw – teyrnasiad Duw o'n mewn.

Neges Dameg yr Hedyn Mwstard yw inni beidio â digalonni. Y mae'r deyrnas yn mynd ar gynnydd, yn wyrthiol, yn rhyfeddol, yn aml yn ddiarwybod i ni, fel pe bai dyn yn cymryd gronyn o had mwstard a'i hau yn ei faes, a hwnnw'n tyfu'n dawel ond yn gryf, '*y mwyaf o'r holl lysiau*'.

Twf Sicr y Deyrnas

Neges ganolog y ddameg yw fod twf y deyrnas yn sicr. Fel y mae Duw yn rhoi twf a chynnydd ym myd natur, y mae hefyd yn rhoi twf a chynnydd yn ei deyrnas ar y ddaear. Digon yw i ddilynwyr Iesu ymddiried yn ei ffyddlondeb ac yn addewidion yr Arglwydd Iesu a pheidio â mesur maint terfynol y deyrnas wrth ei maint ar ei chychwyn, neu ar unrhyw adeg arall yn ei hanes. Y mae tri pheth pwysig ymhlyg yn neges y ddameg.

Yn gyntaf, *rhaid gwylio rhag diystyru posibiliadau y pethau bychain.* Ni ddylid barnu dim yn ôl ei faint na'i ddechreuadau, ond yn ôl ei botensial. Meddai Iesu am yr hedyn mwstard, *'Dyma'r lleiaf o'r holl hadau',* ac eto yr oedd ynddo egnïon cudd a'r potensial i dyfu'n blanhigyn o faint. Pethau bychain oedd dechreuadau'r efengyl – genedigaeth baban bach ym Methlehem yn nyddiau'r Brenin Herod a'r Ymerawdwr Awgwstws Cesar. Ni wyddai Awgwstws Cesar ddim oll am ei fodolaeth. Ond yr oedd i gael mwy o ddylanwad ar ein byd na holl frenhinoedd ac ymerawdwyr yr oesau. Dechreuodd Iesu ei weinidogaeth gyda deuddeg o ddynion digon cyffredin eu cefndir. Dywedodd wrthynt, *'Peidiwch ag ofni, fy mhraidd bychan, oherwydd gwelodd eich Tad yn dda roi i chwi'r deyrnas'.*(Lc. 12: 32). Pwy feddyliai y byddai'r cwmni bach yna yn gychwyn i grefydd ac eglwys fyd-eang? Ac y mae hanes Cristnogaeth yn llawn o enghreifftiau o unigolion digon di-nod yn rhoi cychwyn i fudiadau grymus a dylanwadol.

Cenhadwr yn Tsieina oedd y Cymro Thomas Jermain Jones (1840–66). Ei uchelgais ef oedd croesi'r môr i Corea er mwyn cyflwyno'r efengyl i frodorion y wlad honno, ond lladdwyd ef a chriw y llong ar y traeth gan y Coreaid yn union wedi iddynt lanio. Yn ei fag roedd copïau o'r Testament Newydd yn yr iaith Dsieineeg. Cododd rhai o'r bobl y rhain a'u darllen, a bu hynny'n gychwyn i sefydlu eglwys Gristnogol yn Corea. Cofir amdano hyd heddiw ymhlith Cristnogion Corea. Os yw'n ddydd y pethau bychain eto ar Gristnogaeth yng Nghymru, gwyliwn rhag diystyru'r posibiliadau sydd yn yr hyn sy'n ymddangos yn fach a di-ddim.

Yn ail, *Duw sy'n rhoi'r tyfiant.* Dyn sy'n hau yr had yn ei faes, ond prosesau dirgel natur sy'n gyfrifol am y twf a hynny wrth i'r had egino yn nyfnder y ddaear a thyfu a dwyn ffrwyth. Gwaith *natur* yw rhoi'r twf, nid gwaith dyn. Yn yr un modd, gwaith Duw yw twf y deyrnas. Oes, mae gan ddyn ran i'w chyflawni. Ei waith ef yw aredig y tir, hau yr had a darparu'r amodau angenrheidiol i'r had dyfu. Ond mae'r tyfiant y tu hwnt i'w reolaeth ef. Ysgrifennodd yr Apostol Paul at Eglwys Corinth i'w hatgoffa nad ef nac Apolos oedd yn gyfrifol am dwf yr eglwys, er iddynt wneud eu rhan yn plannu a dyfrhau: *'Myfi a blannodd, Apolos a ddyfrhaodd, ond Duw oedd yn rhoi'r tyfiant'* (1 Cor. 3: 6). Ar hyd y ddwy fil o flynyddoedd er pan heuwyd hedyn cyntaf y deyrnas yn nyfodiad Iesu Grist, y mae Duw wedi arwain ac arddel ei eglwys a rhoi iddi dyfiant a chynnydd. A derbyn nad oes llawer o gynnydd i'w weld yn yr eglwys yn y Gorllewin heddiw, y *mae* Duw ar waith. Y mae torri'n ôl yn angenrheidiol ar adegau er mwyn hybu tyfiant newydd. Neges y ddameg hon yw na ellir barnu llwyddiant y deyrnas yn ôl safonau'r byd hwn. Ond dengys Iesu fod ei deyrnas yn organedd byw, yn tyfu ac yn ymledu, weithiau'n dawel ac o'r golwg, weithiau'n rymus ac yn amlwg. Drwy'r cyfan, Duw sydd yn rhoi'r tyfiant a hynny yn ei ffordd a'i amser ei hun.

Yn drydydd, *mae'r hedyn yn tyfu'n goeden a daw adar yr awyr i nythu yn ei changhennau.* Darlun sydd yma o genhedloedd y ddaear yn dod ac yn cael lloches o dan gysgod teyrnas Dduw. Pwynt y ddameg yn fersiwn Luc ohoni yw nid bychander yr hedyn ond twf y goeden a'r cysgod a roddir yn ei changhennau i adar yr awyr. Wrth sôn am ei deyrnas fel pren mawr, y mae Iesu'n defnyddio darlun cyfarwydd a ddefnyddiwyd gan Eseciel i ddynodi mawredd rhai o deyrnasoedd y ddaear. Meddai'r proffwyd am Assyria, *'Tyfodd yn uwch na holl goed y maes; yr oedd ei cheinciau'n ymestyn a'i changau'n lledaenu, am fod digon o ddŵr yn y sianelau. Yr oedd holl adar y nefoedd yn nythu yn ei cheinciau, a'r holl anifeiliaid gwylltion yn epilio dan ei changau'* (Esec. 31: 5–6). A cheir gweledigaeth debyg yn Daniel 4:10–12. Ond cwympo a diflannu fu hanes y teyrnasoedd hynny. Teyrnas Iesu'n unig fydd yn ymledu i bob rhan o'r byd ac yn dwyn yr holl genhedloedd o dan ei chysgod.

Wrth gwrs, nid yr un peth yw twf yr eglwys weledig a chynnydd y deyrnas. Ond y mae perthynas rhyngddynt. Ffurfiwyd yr eglwys i fod yn gyfrwng y deyrnas, i estyn y newyddion da i'r byd. Er ei diffygion a'i gwendidau y mae wedi gwneud hynny. Mae'n wir fod ambell gangen o'r pren wedi mynd yn ddiffrwyth ac wedi crino. Ond mae'r gwaith yn mynd rhagddo a'r pren yn dal i dyfu a'i ganghennau'n lletach nag erioed. Ac i ni mewn sefyllfa o wendid a thrai, fel y deuddeg cyntaf, mae gan y ddameg hon neges i'n cysuro a'n calonogi.

Cwestiynau i'w trafod:

1. Meddyliwch am enghreifftiau o fudiadau mawr a dylanwadol sydd wedi codi o ddechreuadau bychain.

2. Ym mhle y gwelir arwyddion heddiw o dwf y deyrnas yn yr eglwys ac yn y byd?

3. A yw'n briodol bellach sôn mewn cymdeithas aml-grefyddol am yr efengyl yn ennill holl genhedloedd y byd?

YR EFRAU YMYSG YR ŶD

Mathew 13: 24–30; 36–43

Does yr un garddwr nad yw'n cael ei boeni gan broblem chwyn. Pa mor fedrus bynnag y bo, ni fedr dyfu blodau a llysiau heb fod chwyn hefyd yn tyfu yn eu mysg. A does yr un amaethwr nad yw'r ŷd yn ei gaeau yn gymysg ag efrau. Un o baradocsau bywyd yw mai amhosibl yw i ddim da ffynnu heb fod drygioni'n tyfu wrth ei ochr. Fel y mae chwyn yn tyfu ymysg blodau, does yr un person, pa mor dda bynnag y bo, heb ei wendidau. Does yr un mudiad na chymdeithas yn gwbl berffaith. Does yr un eglwys a'i haelodau i gyd yn saint. Cymysgedd o'r da a'r drwg sydd ym mhob person. Meddai R. Williams Parry:

> 'Rwy'n wych, 'rwy'n wael, 'rwy'n gymysg oll i gyd;
> Mewn nych, mewn nerth, mewn helbul ac mewn hedd
> 'Rwy'n fydol ac ysbrydol yr un pryd.

Roedd bodolaeth drygioni a phechod dynol yn broblem i ddilynwyr Iesu Grist. Sut y gallai'r deyrnas lwyddo a chynifer o rai drygionus o'i mewn? Pam nad oedd Duw yn ymyrryd i gael gwared o'r elfennau dinistriol, negyddol oedd yn llesteirio twf y deyrnas? I ateb y cwestiynau hyn yr adroddodd Iesu Ddameg yr Efrau Ymysg yr Ŷd.

Cynnwys y Ddameg

Gan Fathew yn unig y ceir y ddameg hon. Y mae rhai esbonwyr wedi awgrymu bod y ddameg yn ffurf ddiweddarach ar Ddameg yr Had yn Tyfu'n Ddirgel (Marc 4: 26–29). Ond nid tyfiant yr had yw neges y ddameg hon ond problem presenoldeb yr efrau yn gymysg â'r ŷd yn y maes. Gan fod pwnc y ddwy ddameg mor wahanol, anodd meddwl eu bod yn ddwy fersiwn o'r un stori wreiddiol. Delio y mae Iesu â tharddiad a phresenoldeb pechod a drygioni o fewn cylch y deyrnas.

Dywed fod amgylchiadau'r deyrnas *'yn debyg i ddyn a heuodd had da yn ei faes'* (adn. 24). Ond yn ystod y nos daeth 'gelyn' a hau efrau ymysg yr ŷd. Chwyn oedd yr efrau ac o'r pedwar math o efrau a dyfai ym Mhalestina, yr oedd un a ymddangosai'n debyg iawn i wenith. Wedi i'r cnwd egino a dwyn ffrwyth synnodd y gweision wrth weld cymaint o efrau ymysg yr ŷd. Yr unig eglurhad am hynny oedd fod gelyn wedi hau hadau efrau yn y maes yn fwriadol. Aeth y gweision i ofyn am ganiatâd i chwynnu ac i godi'r efrau. Ond gan y byddai gwreiddiau'r ŷd a'r efrau wedi eu plethu i'w gilydd byddai ceisio codi'r efrau yn dadwreiddio'r gwenith hefyd ac felly'n distrywio'r cynhaeaf. Oherwydd hynny, gorchmynnwyd iddynt adael i'r ddau gyd-dyfu tan amser y cynhaeaf. Dyna pa bryd y deuai'r cyfle gorau a mwyaf effeithiol i'w didoli.

Cymhwyso'r Ddameg

Gwelai Iesu y byddai aelodau annheilwng ac amherffaith yn perthyn i'r gymdeithas Gristnogol, a daeth hynny'n amlwg ym mhrofiad yr Eglwys Fore. A byth oddi ar hynny y mae bywyd a thystiolaeth yr eglwys wedi eu llesteirio'n aml gan arweinwyr ac aelodau sydd wedi dwyn cywilydd arnynt eu hunain ac ar eu tystiolaeth. Gallai'r ddameg gyfeirio at dair sefyllfa o'r fath.

Yn gyntaf, *cyfnod gweinidogaeth Iesu ei hun.* Gallai'r ddameg fod yn cyfeirio at rai oedd yn dilyn Iesu yn ystod ei weinidogaeth. Bu Jwdas Iscariot yn aelod o gymdeithas ei ddilynwyr hyd at oriau olaf gweinidogaeth Iesu cyn i'w gynllwynion ddangos gwir natur ei gymeriad. Ceisiodd Iago ac Ioan sicrhau safle anrhydeddus yn nheyrnas Dduw. Gwadodd Pedr ei Arglwydd yn llys Pilat a ffodd y gweddill o'r disgyblion mewn dychryn. Yr oedd efrau yn gymysg â'r ŷd hyd yn oed yn ystod gweinidogaeth Iesu.

Yn ail, *cyfnod yr Eglwys Fore.* Ceir cyfeiriadau mynych yn y Testament Newydd at gau-broffwydi, gau-ddisgyblion a'r rhai a achosai helyntion a rhaniadau yn yr eglwysi. Y broblem oedd gwybod pa ffordd oedd orau i ddelio â'r elfennau niweidiol hyn. Roedd rhai am eu diwreiddio a chael gwared ohonynt er mwyn creu eglwys 'bur' heb bechaduriaid na hereticiaid o'i mewn. Ond y mae'r ddameg yn apelio am oddefgarwch. Poeni am yr efrau a wna'r gweision gan gynnig mynd i'r maes i'w chwynnu. Ond meddwl am yr ŷd a wna'r meistr, gan y byddai tynnu'r efrau yn amharu hefyd ar wreiddiau'r ŷd. Felly hefyd yn yr eglwys. Y mae perygl gwneud niwed i ansawdd y gymdeithas wrth gael gwared â'r rhai drwg ac annuwiol. Gwell eglwys gymysg, oddefgar nag un sydd, wrth geisio bod yn bur, yn creu rhaniadau ac anghydfod. Yn drydydd, *maes y byd.* Yn eglurhad y ddameg (adn. 36–42) dywedir mai'r maes yw'r byd. Wrth i'r genhadaeth Gristnogol ymledu daw'r efengyl i wrthdrawiad ag elfennau gelyniaethus. Gall ymddangos ar adegau fod drygioni yn llwyddo a phobl ddrwg yn osgoi canlyniadau eu drygioni. Droeon a thro yn y gorffennol cymerodd yr eglwys arni ei hun i gosbi pobl am eu syniadau cyfeiliornus neu eu hymddygiad annerbyniol. Defnyddiwyd dulliau creulon – stanc, poenydio a charcharu – i orfodi uniongrededd ac i ddiogelu pŵer ac awdurdod yr eglwys. Ond bu effeithiau hynny'n enbyd o niweidiol i hygrededd yr eglwys ac i'w harweiniad moesol ac ysbrydol. Yn ôl y ddameg, ac yn arbennig yn ôl y dehongliad ohoni, Mab y Dyn ei hun fydd yn rhannu'r efrau oddi wrth yr ŷd, yn eu llosgi ac yn crynhoi'r ŷd i'w ysguboriau. Mae'r syniad hwn o farn yn un o themâu mawr Efengyl Mathew. Iesu ei hun, nid yr eglwys nac ychwaith yr un awdurdod dynol, sydd â'r hawl i ddidoli rhwng yr ŷd a'r efrau. Rhaid ymddiried y gwaith o ddidoli iddo ef. Fe *fydd* y deyrnas yn llwyddo ac, efrau neu beidio, fe ddaw'r cynhaeaf.

Ystyr yr Eglurhad

O dderbyn y ddameg hon fel eiddo Iesu ei hun, anodd iawn yw priodoli iddo yr esboniad arni a geir yn adn. 36–43. Y mae arddull yr adran hon yn gwbl wahanol, a'r hyn a geir yw dehongliad alegorïaidd o'r ddameg sy'n anghyson â dull arferol Iesu o gyflwyno'i ddamhegion. Gallai'r disgyblion yn hawdd fod wedi gofyn i Iesu am eglurhad, ond y mae lle i feddwl mai cymysgedd yw'r adran hon o'r dehongliad gwreiddiol a syniadau diweddarach yr eglwys. Er hynny, mae'n ddiddorol gweld sut yr eglurwyd y ddameg ym mlynyddoedd cynnar yr Eglwys Fore wrth iddi gyflawni ei chenhadaeth yn y byd. Dywedir mai'r un sy'n hau yr had da yw *Mab y Dyn.* I'r Eglwys Fore, Mab y Dyn yw'r Meseia a'r Meseia yw Iesu o Nasareth. Yn y ddameg wreiddiol y 'maes' yw'r gymdeithas Gristnogol, ond yn yr eglurhad *'y maes yw'r byd'* (adn. 36). Gan fod yr eglwys erbyn hyn yn ymestyn allan i'r byd, mae'n naturiol ei bod yn deall y ddameg yn nhermau ei chenhadaeth. Y *gelyn* yn yr eglurhad yw'r diafol, nid unrhyw elfennau dynol drygionus. I'r eglwys y mae dau ddosbarth o bobl – plant y deyrnas a phlant y diafol – a'r rheini'n brwydro yn erbyn ei gilydd am oruchafiaeth. Ond neges y ddameg yw mai Duw biau'r cynhaeaf, a bydd Mab y Dyn ei hun yn didoli'r efrau oddi wrth yr ŷd ar y dydd olaf.

Dehongli'r Ddameg Heddiw

Daw'r dehongliad o'r ddameg i ben gydag anogaeth i bob aelod edrych ato'i hun er mwyn sicrhau ei fod ymhlith plant y deyrnas: '*Y sawl sydd â chlustiau ganddo, gwrandawed'* (adn. 43). Beth ddylai agwedd y Cristion fod at bresenoldeb drygioni a'r gymysgedd o dda a drwg sydd ym mywyd yr eglwys ac yn y byd? Yn y ddameg ceir tair ffordd o ymagweddu tuag at y drwg, tair agwedd tuag at yr efrau.

Yn gyntaf, *agwedd y gelyn*. Y gelyn yn y ddameg yw'r un sydd yn fwriadol yn hau efrau yn y maes. Y mae pob un ohonom yn achlysurol yn gwneud drwg yn ddiarwybod a heb fwriadu gwneud hynny. Ond y mae'r gelyn yn ymwybodol yn cyflawni drygioni. Hwn yw'r sawl sy'n fwriadol yn gosod ffrwydrad fydd yn lladd pobl ddiniwed. Hwn yw'r sawl sy'n fwriadol yn ymosod ar berson arall. Hwn yw'r sawl sy'n fwriadol yn gwthio cyffuriau ar blant a phobl ifanc. Ond rhag i ni deimlo'n hunangyfiawn foddhaus a meddwl nad oes a wnelo'r agwedd hon â ni, rhaid cofio fod y 'gelyn' yn llechu yng nghalon pob un ohonom. Mae geiriau angharedig, sengar yn hadau sy'n tyfu'n chwyn a all dagu cyfeillgarwch a lladd hapusrwydd. Gall rhagfarnau, eiddigedd ac atgasedd fod fel efrau yn tyfu'n dawel, yn creu rhaniadau chwerw a pheryglus o fewn cymdeithas.

Yn ail, *agwedd y gweision*. Gweision cydwybodol yw'r rhain, yn awyddus i weld maes toreithiog o ŷd ond wedi eu siomi o weld cymaint o efrau yn gymysg â'r cnwd. Mae eu bwriadau'n dda; maent yn ddynion o ddelfrydau uchel, yn awyddus i gael gwared o'r drwg er mwyn i'r da ffynnu. Ond y maent yn gwneud un camgymeriad. Maent yn rhy barod i fynd ati i ddidoli rhwng yr efrau a'r ŷd. Perygl y delfrydwr yw troi'n farnwr. Roedd gan y Phariseaid eu delfrydau. Roeddent am gadw safonau uchaf y gyfraith, ond fe drodd eu delfrydiaeth yn gulni, yn gondemniad o byblicanod a phechaduriaid a phawb a ystyrient yn ddiffygiol eu moesau a'u crefydd. Y mae'r eglwys hefyd wedi ei rhwygo droeon gan berffeithwyr sy'n rhy barod i ddidoli rhwng yr uniongred a'r anuniongred, y cadwedig a'r colledig, y cyfiawn a'r anghyfiawn, yn eu hymgais i greu eglwys 'bur'. Gan fod ŷd ac efrau yn tyfu'n gymysg ym mywyd pob un ohonom, nid oes hawl gennym ni i feirniadu, i ddidoli ac i geisio ymlid y drwg.

Yn drydydd, *agwedd y meistr tir.* Hwn yw'r un sy'n cynrychioli gras ac amynedd Duw. Ateb y meistr tir i'r gweision yw, '*wrth gasglu'r efrau fe allwch ddiwreiddio'r ŷd gyda hwy. Gadewch i'r ddau dyfu gyda'i gilydd hyd y cynhaeaf*' (adn. 29–30). Nid dweud y mae Iesu nad oes dim ots am y drwg. Nid yw'n dweud nad oes angen gwrthwynebu pechod, anghyfiawnder a gormes. Yn hytrach, dweud y mae mai wrth weithredu gras, amynedd a thrugaredd y mae goresgyn drygioni. Y mae Duw yn ymwneud â ni ac â'n beiau a'n diffygion yn ei amynedd a'i dosturi diderfyn. Os dyna yw agwedd Duw, dyna ddylai'n hagwedd ninnau fod tuag at ein gilydd a thuag at fywyd.

Cwestiynau i'w trafod:

1. Pam, yn ôl y ddameg hon, y mae agwedd feirniadol a chondemniol yn beryglus?

2. A oes lle o gwbl i ddisgyblaeth yn yr eglwys heddiw?

3. Beth sydd gan y ddameg hon i'w ddweud wrthym am agwedd a natur Duw?

Y TRYSOR CUDD
A'R PERL GWERTHFAWR

Mathew 13: 44–46

Stori boblogaidd sydd wedi rhoi mwynhad i genedlaethau o blant dros y blynyddoedd yw *Treasure Island,* R. L. Stevenson. Mae antur y Sgweiar Trelawney a'r bachgen Jim Hawkins, eu mordaith i chwilio am drysor Capten Flint ar ynys bell ym Môr y De a chynllwynion yr hen fôr-leidr ungoes, Long John Silver, i gipio'r trysor iddo'i hun, yn dal i apelio ac i oglais y dychymyg. Ac nid peth anghyffredin yw clywed heddiw am ambell un, gyda chymorth synhwyrydd metelau, yn taro ar drysor o oes y Rhufeiniaid neu'r Oesoedd Canol mewn cae neu mewn gardd. Gallwn ddeall apêl stori am ddarganfod neu ennill cyfoeth mawr.

Er mai dwy ddameg fer yw'r Trysor Cudd a'r Perl Gwerthfawr, ceir yr un elfen ddramatig a'r un neges yn y ddwy, sef bod teyrnas nefoedd fel trysor gwerthfawr, yn gymaint fel bod gofyn am werthu popeth arall er mwyn ei meddiannu. Gallwn ddychmygu mor werthfawr fyddai'r ddwy ddameg yma i'r Eglwys Fore yn ei gwaith cenhadol o geisio argyhoeddi pobl fod yr efengyl mor werthfawr fel bod meddiannau eraill yn colli eu gwerth mewn cymhariaeth â hi.

Trysor mewn Maes

Sonia'r ddwy ddameg am y deyrnas fel trysor personol y gall unrhyw un ei ddarganfod. Yn y ddameg gyntaf cyffelybir y deyrnas i '*drysor wedi ei guddio mewn maes'* (adn. 44). Mae'n amlwg mai rhywun arall a'i cuddiodd. Digwyddai hynny'n aml pan âi dyn oddi cartref, naill ai ar daith neu i ryfela, er mwyn diogelu ei gyfoeth nes y deuai'n ôl. Pan godai argyfwng yr oedd yn arferiad cyffredin i gladdu trysorau yn y ddaear. Pe digwyddai i'r perchennog gael ei ladd, neu ei gludo'n garcharor i wlad arall, arhosai'r trysor yn y maes a neb yn gwybod amdano. Ymhen amser byddai rhywun, fel y dyn yn y ddameg hon, yn darganfod y trysor. Wedi iddo ei ddarganfod mae'n ei gladdu

37

eilwaith, a heb ddweud gair wrth neb mae'n gwerthu ei holl feddiannau er mwyn prynu'r maes. Wedi iddo'i brynu mae ganddo wedyn hawl ar bopeth yn y maes. Cododd rhai gwestiwn ynglŷn â moesoldeb ei weithred yn ail gladdu'r trysor a phrynu'r maes heb ddweud dim wrth neb. Ond nid oes a wnelo hynny ddim oll ag ergyd y ddameg. Ei phrif bwynt yw i'r dyn sylweddoli ei fod wedi dod ar draws rhywbeth o werth mawr ac iddo fynd ati ar unwaith i'w sicrhau iddo'i hun. Ac os gall dyn ddangos y fath egni a phenderfyniad i sicrhau eiddo materol, pa faint mwy y dylid gwneud ymdrech i sicrhau'r trysor pennaf oll, sef teyrnas nefoedd.

Dylid sylwi mai darganfod y trysor yn gwbl annisgwyl, ac yntau wrth ei waith bob dydd, a wnaeth yr amaethwr. Ceir sawl enghraifft yn hanes Cristnogaeth o bobl yn canfod Iesu Grist mewn modd hollol ddamweiniol. Mewn capel bach mewn stryd gefn ar noson o eira y clywodd C. H. Spurgeon bregethwr cynorthwyol digon di-ddawn yn galw arno, 'Ŵr ifanc, edrych ar Iesu!' Yn y fan a'r lle fe newidiwyd ei fywyd. Yn yr un modd, wrth gerdded o Academi Llwyn-llwyd i'w lety y digwyddodd William Williams fynd heibio mynwent eglwys Talgarth a chlywed Hywel Harris yn pregethu. Daliwyd y myfyriwr ifanc, 'gan ei sŵn dychrynllyd ef '.

Un Perl Gwerthfawr

Mae'n sicr i Iesu weld masnachwyr yn teithio drwy Galilea, yn mynd o farchnad i farchnad ac yn codi eu stondinau i arddangos eu nwyddau. Ni fedrai'r mwyafrif o bobl gyffredin Galilea wneud dim ond syllu'n eiddigeddus ar berlau a thlysau mor ddrudfawr. Stori sydd yn y ddameg hon am un o'r masnachwyr hynny oedd nid yn unig yn delio mewn gemau a pherlau, ond a oedd yn gryn *connoisseur* yn y maes. Ei uchelgais oedd meddiannu'r perl gorau y gallai ei gael – un a fyddai o fwy o werth na'r un arall. Bu'n masnachu am flynyddoedd, ond rhyw ddiwrnod canfu un perl gwirioneddol werthfawr, mwy gwerthfawr na dim a welodd cyn hynny. Nid damwain oedd ei ddarganfyddiad ef, ond canlyniad ymchwil hir a bwriadol. Eto, rhaid sylwi mai wrth ei waith yr oedd yntau pan wnaeth ei ddarganfyddiad.

38

Y Deyrnas – Y Cyfoeth Mwyaf

Mae'r pwyslais canolog yn y ddameg hon, fel yn yr un o'i blaen, ar y ffaith mai'r deyrnas yw'r cyfoeth mwyaf a ddaw i ran dyn. Trwy Iesu Grist daw'r cyfoeth hwn yn eiddo i bobl wahanol iawn i'w gilydd ac mewn dulliau gwahanol – un yn ei gael drwy ddamwain, un arall ar ôl chwilio hir. Ond gwneir y pwynt fod y ddau ŵr yn mynd ac yn gwerthu eu holl eiddo er mwyn meddiannu'r trysor ac er mwyn prynu'r perl. Mae'r ddau yn barod i roi popeth arall heibio er mwyn y peth gwerthfawrocaf oll.

Cwestiwn sydd wedi ei drafod gan athronwyr a meddylwyr mawr yr oesau yw, a ydyw daioni perffaith o fewn cyrraedd bodau meidrol? A oes delfryd aruchel, anghymharol – rhyw *summum bonum* – yn aros i'w ddarganfod? Mynegiant chwedlonol o'r un syniad oedd ymchwil marchogion, tywysogion, athronwyr a saint am y Greal Sanctaidd, a gynrychiolai'r delfryd uchaf, y daioni perffaith, y llawenydd cyflawn. Byddai'r sinig yn dweud mai ymchwil ofer yw hon; nad yw'r *summum bonum* yn bod, mai amherffaith a diffygiol yw pob delfryd. Y gorau y gall dyn ei wneud yw dal ati i chwilio. Byddai'r person bydol ei fryd yn dweud mai cyfoeth materol yw'r unig drysor gwerth ei feddiannu, mai casglu *'perlau gwych'* yn nhermau eiddo a golud yw'r unig beth o bwys.

I Iesu, y trysor cudd a'r perl amhrisiadwy, y *summum bonum,* yw teyrnas nefoedd. Ein galw i fywyd y deyrnas a wna Iesu – i berthynas â Duw ac â'n gilydd yn ei ysbryd a'i gariad ef. Ac oherwydd mai trwy dderbyn Iesu Grist, a chaniatáu i'w fywyd ef lenwi a hydreiddio ein bywyd ni y mae mynd i mewn i fywyd y deyrnas – yna, *ef ei hun* yw'r trysor digyffelyb a'r perl gwerthfawrocaf. Iesu, y trysor mwyaf, yw un o themâu amlycaf emynau Williams, Pantycelyn:

> Dyma ddyfnder o drysorau,
>> Dyma ryw anfeidrol rodd,
> Dyma wrthrych ges o'r diwedd
>> Ag sy'n hollol wrth fy modd;
> Nid oes syched arnaf mwyach
>> Am drysorau gwag y byd;
> Popeth gwerthfawr a drysorwyd
>> Yn fy Mhrynwr mawr ynghyd.

Y Darganfyddiad Mawr

Rhoddir pwyslais yn y ddwy ddameg ar *ddarganfod* – un o eiriau mawr Efengyl Mathew. Er i'r amaethwr ddarganfod y trysor yn gwbl annisgwyl ac i'r masnachwr ddarganfod y perl wedi hir chwilio, daw'r ddau i'r un man, sef darganfod y trysor. Gwnaeth y masnachwr perlau ei ddarganfyddiad yn dilyn blynyddoedd o brynu a gwerthu a gwrthod bodloni ar berlau llai gwerthfawr. Roedd ganddo berlau eraill ond nid oedd y rheini'n ddigon da. Y mae math o anfodlonrwydd sy'n sbarduno dyn i barhau i ymchwilio. Ni all neb symud ymlaen i bethau gwell os nad yw'n teimlo mesur o anfodlonrwydd â phethau fel ag y maent. Nid yw'r gwyddonydd yn tyfu yn ei wybodaeth nac yn llwyddo i wneud darganfyddiadau newydd onid yw'n dal ati i ymchwilio ac arbrofi. Nid yw'r cerddor yn perffeithio'i ddawn heb ddal ati i ymarfer. A rhaid wrth yr un anfodlonrwydd creadigol ym myd yr ysbryd ac ym mywyd yr eglwys. Disgyn i gyflwr hunanfoddhaus a bodloni ar bethau fel ag y maent yw'r rhwystr pennaf i dyfiant. Un o'r ymadroddion peryclaf yw, '*Fe wnaiff y tro!*' – bodloni ar y salach yn hytrach na'r gorau.

Y mae hanes am fyfyriwr diwinyddol yn mynd at ei brifathro i gael ei ddyfarniad ar bregeth a gyfansoddodd. O weld y prifathro'n edrych yn amheus ar sgript y bregeth, mentrodd y myfyriwr nerfus ofyn, '*It will do, Sir, won't it?*' Ond daeth yr ateb deifiol, '*DO WHAT?*' Nid ar chwarae bach y mae darganfod y perl gwerthfawr, nid ar fodloni ar lai na'r gorau. Rhaid wrth anfodlonrwydd anniddig sy'n peri inni ddal ati i chwilio.

Meddiannu'r Trysor

Canfod Iesu Grist yw'r darganfyddiad Cristnogol mawr. Gweld y trysor dihafal a'r perl gwerthfawrocaf yn y Person rhyfeddol hwn; syllu arno a chanfod ynddo sancteiddrwydd perffaith na welir mo'i debyg yn neb arall; syllu arno a chanfod cariad hunanaberthol na welir ei debyg yn unman arall; syllu arno a gweld wyneb Duw. Y mae yna broffwydi a dysgawdwyr crefyddol eraill y mae eu dysgeidiaeth a'u bywydau'n berlau gwerthfawr, ond nid ydynt ddim o'u cymharu â'r perl gwerthfawrocaf oll – yr Arglwydd Iesu Grist. '*Yn ei lawenydd*' (adn. 44) y mae'r amaethwr yn mynd ac yn gwerthu ei holl eiddo er mwyn prynu'r maes. Nid aberth oedd hyn ond mwynhad pur. Yn yr un modd mae'r masnachwr yn gwerthu ei stoc i gyd er mwyn codi digon o arian i brynu'r un perl gwerthfawr. Beth yw arwyddocâd hynny? Nid yw'r ddameg yn dweud y medrwn brynu profiad crefyddol am arian. Ni fedrwn brynu ffydd, na phrynu bendith, na phrynu'r deyrnas. Ond ar yr un pryd, ni fedrwn feddiannu'r daioni uchaf a'r llawenydd perffeithiaf heb fod hynny'n costio i ni. Ond nid ag arian y mae eu prynu. Nid yw Iesu'n gofyn am ein harian ond am ein calonnau, am ein cariad, ein ffydd a'n hufudd-dod. O roi iddo ein hunain yn llwyr ac yn llawen y meddiannwn y trysor.

Cwestiynau i'w trafod:

1. Ym mha ystyr y mae bywyd y deyrnas yn drysor gwerthfawr?

2. A ydych yn cytuno mai cyflwr peryglus yw bodloni ar yr ail orau?

3. Beth yw arwyddocâd y gwahaniaeth rhwng darganfyddiad annisgwyl yr amaethwr a darganfyddiad y masnachwr perlau yn dilyn ymchwil hir?

41

Y WLEDD FAWR

Luc 14: 15–24

Roedd y syniad o Dduw yn cynnal gwledd fawr pan ddeuai'r Meseia a sefydlu oes newydd y deyrnas yn gwbl gyfarwydd i'r Iddewon. Meddai Eseia, wrth ddisgrifio dyfodiad yr oes feseianaidd, '*Ar y mynydd hwn bydd Arglwydd y Lluoedd yn paratoi gwledd o basgedigion i'r bobl i gyd, gwledd o win wedi aeddfedu, o basgedigion breision a hen win wedi ei hidlo'n lân*' (Eseia 25: 6). Mabwysiadodd Iesu'r darlun a'i ddefnyddio i gyffelybu teyrnas Dduw i wledd. Gan mai achlysur llawen yw pob gwledd, profiad llawen yw cael mynediad i'r deyrnas a llawenydd yw un o nodweddion amlycaf bywyd y deyrnas. Gwaetha'r modd, nid yw Cristnogion wedi llwyddo bob amser i gyfleu llawenydd y bywyd Cristnogol ac fe'u cyhuddwyd yn aml o fod yn lleddf, yn ddigalon, yn hirwynebog ac o wgu ar bob pleser a mwynhad. Nododd Howell Harris, Trefeca, yn ei ddyddiadur ryw ddydd, 'Cefais fy nhemtio heddiw i chwerthin'. Ond i Iesu roedd bywyd y deyrnas fel gwledd lawen i'w mwynhau. Ac i Paul, yr ail mewn pwysigrwydd o ffrwythau'r Ysbryd, yn dilyn cariad, yw llawenydd (Gal. 5: 22). Disgrifiwyd y Cristnogion cynnar fel *hilares*, ansoddair Lladin y daw'r gair Saesneg *hilarity* ohono. Dylai dilynwyr Iesu fod yn llawn doniolwch sanctaidd.

Fersiwn Mathew

Adroddir dameg debyg i hon yn Efengyl Mathew (Math. 22: 1–14), ond mai gwledd briodas a drefnwyd gan frenin i'w fab a geir yn y fersiwn honno. Mae'r thema o wahoddedigion yn gwrthod gwahoddiad i'r wledd yn gyffredin i'r ddwy. Cred y rhan fwyaf o esbonwyr mai dwy ffurf wahanol ydynt o'r un ddameg wreiddiol a bod hynny o wahaniaeth sydd rhyngddynt i'w briodoli i'r gwaith golygyddol fu ar y ddameg rhwng ei llefaru gan Iesu a'i chofnodi'n ddiweddarach gan awduron yr Efengylau. Mae lle i gredu bod llawer mwy o ôl llaw golygydd ar fersiwn Mathew nag yn achos Luc. Ym Mathew ceir cyfeiriad od ac anghydnaws at y brenin yn anfon mintai o filwyr i ddial ar y gwahoddedigion anniolchgar a llosgi eu trefi, a hynny tra oedd y wledd yn barod ar y bwrdd! Ymgais a geir yma i dynnu sylw at gwymp Jerwsalem yn 70 OC a ddehonglwyd gan yr Eglwys Fore fel cosb ar yr Iddewon am groeshoelio Iesu Grist. Gwelir bod Mathew hefyd yn cyfuno'r ddameg â dameg arall sy'n sôn am frenin yn taflu allan o wledd briodas ddyn heb wisg briodas addas. Golyga hyn fod pwyslais Mathew ar y farn derfynol a theilyngdod neu annheilyngdod y gwesteion i gael rhan yng ngwledd y deyrnas. Mae'n bur debyg fod ôl llaw golygydd i'w weld ar fersiwn Luc hefyd, yn enwedig y cyfeiriad yn niwedd y ddameg at fynd allan i'r ffyrdd a'r cloddiau, sy'n adlewyrchu sefyllfa'r Eglwys Fore yn ei chenhadaeth i'r Cenhedloedd. Gwelwn felly fod mesur o olygu ac ailgymhwyso ar fersiynau Mathew a Luc, ond bod ffurf Luc yn symlach ac yn debygol o fod yn nes at gnewyllyn y ddameg fel y llefarwyd hi gan Iesu.

Y Gwesteion Amharod

Prif bwynt y ddameg yw amharodrwydd pobl i dderbyn y bywyd newydd, cyflawn, a gynigir iddynt gan Dduw. Am na fynnant dderbyn y gwahoddiad a estynnir iddynt, y maent yn eu cau eu hunain allan o'r wledd. Problem sydd wedi poeni meddylwyr Cristnogol erioed yw pam fod rhai yn gwrthod yr efengyl ac yn ddihidio i alwad Duw yn Iesu Grist.

Cefndir y ddameg yn ôl Luc yw Iesu'n rhannu pryd o fwyd yn nhŷ un o arweinwyr y Phariseaid. Wedi iddo rybuddio yn erbyn y balchder sy'n peri i rai chwennych lle o anrhydedd mewn gwledd, aeth ymlaen i bwysleisio gostyngeiddrwydd a'r pwysigrwydd o wahodd i ginio neu swper, 'y tlodion, yr anffodusion, y cloffion a'r deillion' (adn. 13). Prin y byddai hynny wedi plesio ei westeiwr o Pharisead na'i gyfeillion o amgylch y bwrdd. Ond rhag i unrhyw ddadl neu anghydweld darfu ar awyrgylch y wledd, meddai un o'r gwahoddedigion – Pharisead arall, yn ôl pob tebyg – 'Gwyn ei fyd pwy bynnag a gaiff gyfran yn y wledd yn nheyrnas Dduw' (adn. 15), sef cyfeiriad at y gred Iddewig yng ngwledd yr oes feseianaidd. Gellir dychmygu ei gyd-westeion yn ei borthi'n dduwiol. Ond gwyddai Iesu'n iawn nad yw pobl yn awyddus nac yn barod i ymateb i wahoddiad Duw. Er mwyn dangos mai ffug-dduwioldeb yw llawer o'r sôn yn eu plith am wledda yn nheyrnas Dduw

43

dywed Iesu yn y ddameg hon am ŵr yn paratoi swper ac yn gwahodd ymlaen llaw lawer o gyfeillion i'r wledd. Yna, pan ddaeth yn adeg swper, danfonodd ei was i alw ynghyd y rhai oedd eisoes wedi derbyn y gwahoddiad. *'Dewch, mae popeth yn barod yn awr,'* meddai (adn. 17). Yr arferiad oedd i wahoddedigion breintiedig dderbyn ail wahoddiad i wledd. Nid âi neb i wledd heb ei wahodd yr ail waith, a sarhad ar wahoddedigion fyddai esgeuluso eu galw yr eildro. Ond yn yr un modd, anghwrteisi o'r mwyaf fyddai peidio â mynd i wledd ar ôl cael a derbyn gwahoddiad. Ond dyna a wna pobl pan fo Duw yn gwahodd. A dyna fu hanes yr Iddewon. Cawsant eu gwahodd o flaen pawb arall, a chyda dyfodiad y Meseia cawsant eu gwahodd eto i wledd y deyrnas. Ond gwrthod gwahoddiad Duw a wnaethant.

Yr Esgusodion

Wrth bregethu efengyl y deyrnas roedd Iesu'n estyn gwahoddiad i holl bobl Israel: y cyfoethogion a'r tlodion, y crefyddwyr parchus a'r pechaduriaid ysgymun, i gymryd eu lle yng nghymuned teyrnas Dduw. Mae'r tri sy'n gwneud esgusodion yn cynrychioli'r cyfoethogion a'r crefyddwyr parchus. Mae'r esgusodion a gynigiant yn awgrymu mai i ddosbarth tirfeddiannol cefnog yr oedd y rhain yn perthyn. Dim ond amaethwr gweddol gefnog a allai ffoddio pum pâr o ychen. A thila yw eu hesgusodion, dim mwy na chochl i guddio eu gwir reswm dros beidio â mynd i'r wledd, sef nad oeddent yn dymuno mynd.

Mae esgus y cyntaf, *'Rwyf wedi prynu cae, ac y mae'n rhaid imi fynd allan i gael golwg arno'* (adn. 18), yn cynrychioli'r bobl hynny y mae eiddo materol yn dod o flaen popeth arall iddynt. Hawdd iawn fyddai gohirio mynd i edrych ar faes. Ond pan yw gofal am fusnes a phethau tymhorol yn troi yn obsesiwn nid oes amser i ystyried gwerthoedd ysbrydol, anweledig. Nid oes amser i weddi, defosiwn nac addoliad, a'r canlyniad yw fod cydbwysedd bywyd yn mynd ar goll. Y mae i berson gorff, meddwl ac enaid. Os yw pethau materol y corff yn mynd â'i fryd yn llwyr fel nad oes ganddo amser nac awydd i bethau'r enaid, mae'n anochel y bydd dyn yn gwrthod Duw a gwledd y bywyd tragwyddol.

Mae esgus yr ail, *'Rwyf wedi prynu pum pâr o ychen, ac rwyf ar fy ffordd i roi prawf arnynt'* (adn. 19), yn cynrychioli'r rhai y mae newydd-deb yn bopeth iddynt. Digon hawdd fyddai aros am ychydig cyn mynd i fwrw golwg ar yr ychen newydd a gweld sut rai oeddent o ran eu gwedd a'u gwaith. Ond mae atyniad pethau newydd – diddordebau newydd, cyfeillion newydd, meddiannau newydd – yn gallu gwthio popeth arall o'r meddwl. Y mae rhai anghenion sylfaenol, digyfnewid, na ddylai person eu hesgeuluso byth. Un ohonynt yw'r angen am Dduw, am addoli ac am ymborth ysbrydol.

Esgus y trydydd yw, 'Rwyf newydd briodi, ac am hynny ni allaf ddod' (adn. 20). Y mae gofynion priodas a theulu yn bwysig ac ni ddylid eu hesgeuluso. Ond rhaid osgoi'r temtasiwn i droi cartref yn gaer, yn lle i ddianc iddo, i ymguddio oddi wrth y byd oddi allan. Ni ddylai cartref na theulu ein gwahanu oddi wrth eraill ac yn sicr ni ddylai ddod rhyngom a Duw. Rhaid i hawliau cartref a hawliau'r deyrnas fynd law yn llaw.

Yn yr esgusodion hyn gwelwn fod pethau llai pwysig yn cael blaenoriaeth ar bethau o'r pwys mwyaf, diddordebau hunanol a gofalon bydol yn fwy apelgar na gwledd y deyrnas. Ni ddywedir pam y trefnodd y gŵr wledd yn y lle cyntaf, ond gallwn dybio mai ei ddymuniad oedd dyfnhau ei gyfeillgarwch â'i wahoddedigion, a rhoi cyfle iddynt ei adnabod ef ac adnabod ei gilydd yn well. Mae'r wledd yn arwydd o'i ysbryd cyfeillgar a'i deimladau caredig tuag at ei westeion. Wedi i'r gwas ddychwelyd gyda'r newydd fod y rhai a dderbyniodd y gwahoddiad yn tynnu'n ôl, mae'n naturiol i feistr y tŷ ddigio.

Gwesteion Newydd Duw

Gan i'r cefnog, y cyfoethog a'r cysurus eu byd wrthod dod i'r wledd, estynnir gwahoddiad yn awr i'r rhai sydd heb na chyfoeth, na safle – y 'tlodion a'r anafusion a'r deillion a'r cloffion' (adn. 21). Mae'r rhain yn barod iawn i dderbyn y gwahoddiad. Hwy yw trigolion 'heolydd a strydoedd cefn y dref' (adn. 21), sef cynrychiolwyr y casglwyr trethi, pechaduriaid, a'r bobl gyffredin, ddifreintiedig y bu Iesu'n cyfeillachu â hwy ac a ystyrid gan y Phariseaid a'r ysgrifenyddion yn ysgymun. Dyma'r bobl sy'n ymateb i weinidogaeth ac i wahoddiad Iesu a hwy sy'n cael cymryd eu lle yng ngwledd teyrnas Dduw. Ond er iddynt ymateb i'r alwad, y mae lle i eraill o hyd yn y wledd.

Anfonir y gwas allan eto, y tro hwn 'i'r ffyrdd ac i'r cloddiau' (adn. 23), y tu allan i ffiniau'r ddinas. Mae'r trydydd gwahoddiad yn cynrychioli ymlediad yr efengyl tu hwnt i derfynau cenedl Israel a'i chenhadaeth i'r Cenhedloedd. Er i'r Phariseaid a'r ysgrifenyddion ac arweinwyr crefyddol Israel gael digon o brofion o ddyfodiad y deyrnas mewn nerth, a gweld gweithredoedd nerthol Iesu, nid ydynt yn barod i ymateb iddo. Yn hytrach y maent wedi ymgolli yn eu syniadau a'u hamcanion bydol eu hunain. Ond er iddynt hwy wrthod, mae'r tlodion a'r anghenus yn ymateb yn eiddgar. Yna, estynnir y gwahoddiad i'r cenhedloedd tu allan: 'yr Iddewon yn gyntaf a hefyd y Groegiaid' (Rhuf. 1: 16). Os yw Jerwsalem yn gwrthod Iesu a'i efengyl, eir i Samaria, ac oddi yno hyd eithaf y ddaear. Mae pwrpas Duw yn ehangach nag Israel, ac yn ymestyn cenhadaeth Iesu hyd bellafoedd y byd.

Cwestiynau i'w trafod:
1. Beth yw ystyr ac arwyddocâd cyffelybu bywyd y deyrnas i wledd?

2. I ba raddau y mae'r 'esgusodion' yn cynrychioli'r rhesymau a roddir gan bobl heddiw dros beidio ag ymateb i neges yr efengyl?

3. Pam nad yw'r eglwys heddiw yn llwyddo i ennill pobl 'y ffyrdd a'r cloddiau'?

46

Y GWESTEION MEWN GWLEDD

Luc 14: 7–14

Wrth fwrdd bwyd ar ddydd Saboth yn nhŷ un o arweinwyr y Phariseaid y llefarodd Iesu y ddameg hon. Roedd gan yr Iddewon hamdden ar y Saboth i fwynhau pryd o fwyd gyda'u teuluoedd, ac yn aml gwahoddid gwesteion i ymuno â hwy. Mae'n amlwg fod Iesu'n westeiwr poblogaidd ac yn gwmnïwr da oherwydd ceir sawl cyfeiriad ato'n cael ei wahodd i brydau bwyd, a hynny'n aml i dai Phariseaid. Er iddo orfod condemnio'r Phariseaid yn aml ac yn chwyrn, roedd yn barod iawn i fynd i'w cwmni, fel yr âi i gwmni casglwyr trethi a phechaduriaid. Hwyrach mai'r ffaith fod Iesu'n athro mor boblogaidd a thyrfaoedd niferus yn ei ddilyn oedd y rheswm pam yr oedd un o arweinwyr y Phariseaid yn awyddus i gael sgwrs ag ef. Ond fe drodd y sgwrs yn rhybudd yn erbyn hunangyfiawnder a hunanbwysigrwydd. Pan ddaw dyn sy'n dioddef o'r dropsi i ymuno yn y cwmni, mae Iesu'n gofyn, '*A yw'n gyfreithlon iacháu ar y Saboth?*' (adn. 3). Mae ar y Phariseaid ofn ateb y cwestiwn. Nid ydynt am awgrymu eu bod yn dibrisio rheolau'r Saboth, ac nid ydynt chwaith am ymddangos yn galed a dideimlad. Ond cyn i'r drafodaeth ddatblygu ymhellach iachaodd Iesu'r dyn yn ddiymdroi.

Dewis Seddau mewn Gwledd

Wrth sylwi ar y modd y mae'r gwahoddedigion yn dewis seddau anrhydedd iddynt eu hunain yn y wledd, mae Iesu'n gweld cyfle i ddysgu gwers bellach i'w wrandawyr – gwers ar foesau da wrth y bwrdd a'r ymddygiad sy'n gweddu i westeion mewn gwledd. Mae Luc yn galw'r geiriau hyn yn ddameg, oherwydd bod ymarweddiad priodol wrth fwrdd bwyd yn adlewyrchiad o'r agwedd meddwl a ddylai nodweddu ymddygiad pobl sy'n mynd i mewn i deyrnas Dduw. Penderfynir mawredd yn y deyrnas, nid yn ôl ein syniadau ni am ein haeddiant, ond gan Dduw. Yn ei olwg ef, y mwyaf yw'r rhai isel a gostyngedig, y rhai nad yw cwestiwn statws a blaenoriaeth yn poeni dim arnynt.

Gwelai Iesu sut yr oedd y gwesteion yn dewis y prif seddau. Fel arfer byddai gwahoddwr yn y Dwyrain yn cymryd gofal manwl o drefn y flaenoriaeth mewn gwleddoedd. Gellir dychmygu'r olygfa. Pharisead hunanbwysig yn gwthio'i hun ymlaen i un o'r seddau amlycaf. Ond gŵr pwysicach o lawer yn cyrraedd a'r gwahoddwr yn gorfod dweud wrth y Pharisead am ildio'i sedd i'r gwesteiwr pwysicach. Y Pharisead wedyn, yn dalp o embaras a chywilydd, yn gorfod symud i'r sedd isaf, a hynny yng ngŵydd y gwesteion eraill. Roedd yn bwysig fod pobl yn eistedd yn y drefn iawn. Felly cyngor Iesu i'r sawl sy'n cael ei wahodd i wledd yw mai'r peth doethaf yw eistedd yn y sedd isaf, a gadael i'r gwesteiwr benderfynu a yw'n deilwng i eistedd mewn safle uwch. Yna bydd yn ennill clod trwy gael ei ddyrchafu gan y gwahoddwr, nid trwy hawlio sedd uchel iddo'i hun. Trwy ei wyleidd-dra y caiff ei anrhydeddu mewn gwirionedd.

Gwir Ostyngeiddrwydd

Mae'r ddameg hon wedi ei seilio ar gyngor Diarhebion 25: 6–7: *'Paid ag ymddyrchafu yng ngŵydd y brenin, na sefyll yn lle'r mawrion, oherwydd gwell yw cael dweud wrthyt am symud i fyny, na'th symud i lawr i wneud lle i bendefig'*. Diben y ddameg yw annog gwir ostyngeiddrwydd. Dyna'n unig sy'n rhoi i berson deilyngdod yng ngolwg Duw. Gostyngeiddrwydd yw gwraidd holl rasusau'r efengyl: cariad, goddefgarwch, amynedd, heddwch, gwasanaeth a chymwynas-garwch. Ac y mae'r gwrthwyneb yn wir. Balchder a hunan bwysigrwydd yw gwraidd pob drwg: eiddigedd, ysbryd beirniadol, cystadleuaeth, ymgecru, ymbleidio ac anghydfod. Y mae balchder yn tanseilio perthynas pobl â'i gilydd, yn creu gelyniaeth ac yn gwadu egwyddorion teyrnas Dduw. Dibynna cymdeithas yr eglwys ar ysbryd gostyngedig ymhlith aelodau: *'Yr wyf yn dweud wrth bob un yn eich plith am beidio â'i gyfrif ei hun yn well nag y dylid ei gyfrif'* (Rhuf. 12: 3), meddai Paul yn ei Lythyr at y Rhufeiniaid. Ac y mae Paul eto yn gosod gerbron aelodau eglwys Philipi y patrwm o ostyngeiddrwydd perffaith yn yr Arglwydd Iesu ac yn eu hannog i'w efelychu yn eu hymwneud â'i gilydd: *'Amlygwch yn eich plith eich hunain yr agwedd meddwl honno sydd, yn wir, yn eiddo i chwi yng Nghrist Iesu'* (Phil. 2: 5). Ond Iesu ei hun sy'n gosod allan egwyddor sylfaenol yr efengyl: *'Darostyngir pob un sy'n ei ddyrchafu ei hun, a dyrchefir pob un sy'n ei ddarostwng ei hun'* (adn. 11). Y mae mewn balchder a hunanddyrchafiad elfennau sy'n creu adwaith yn eu herbyn, fel bod y rhai balch yn cael eu darostwng gan ddyn a chan Dduw. Ond mae'r gostyngedig, yn ddiarwybod iddynt eu hunain, yn cael eu parchu a'u hedmygu.

Cyngor i'r Gwahoddwr

Ar ôl cynghori'r gwesteion i ddewis y seddau isaf, mae Iesu'n troi at y gwahoddwr ac yn ei annog yntau i ddangos yr un gostyngeiddrwydd wrth wahodd gwesteion pan fyddai'n trefnu cinio neu swper. Peth digon hawdd a naturiol yw iddo wahodd cyfeillion, perthnasau a chymdogion cyfoethog. Dyna'r hyn a ddisgwylid a dyna hefyd oedd gofynion cwrteisi arferol. Byddent hwythau wedyn yn gwahodd y gwahoddwr yn ei dro. Ond canlyniad hynny oedd creu grŵp mewnblyg, parchus o bobl o gyffelyb anian a chyffelyb ddosbarth. Ond petai ysbryd teyrnas Dduw wedi meddiannu'r Phariseaid byddent yn gwahodd *'y tlodion, yr anafusion, y cloffion a'r deillion'* (adn. 13), yn hytrach na'u dirmygu a'u cau allan o'u cymdeithas. Un rheswm dros eu gwahodd yw na allant dalu'n ôl. Darperir y wledd yn unig er mwyn diwallu angen ac nid o unrhyw gymhelliad arall. Nid yw gwahodd yr anffodusion yn cau allan gyfeillion, perthnasau a chymdogion. Ond pwyslais Iesu yw fod lletygarwch ynddo'i hun yn bwysig, heb ddisgwyl unrhyw ad-daliad. Adlewyrchir yma agwedd Iesu at drueiniaid o bob math.

Nid oedd gan y mwyafrif o grefyddwyr ei ddydd unrhyw ddiddordeb yn y tlodion a'r rhai ar gyrion cymdeithas. Ac ni wyddent ddim am y boddhad o estyn cymorth i eraill: *'gwyn fydd dy fyd, am nad oes ganddynt fodd i dalu'n ôl i ti'* (adn. 14). Mae'r mwynhad o ddangos caredigrwydd anhunanol yn fath o ragflas o'r wobr a brofir y tu draw i'r byd a'r bywyd hwn. Yn ei gyfrol *The Road to Daybreak,* y mae Henri Nouwen yn disgrifio'i brofiad yn gweithio gyda phobl anafus, yn gorfforol a meddyliol, mewn cymuned L'Arche yn Canada. Meddai, 'Cefais fy ngalw i'r lle hwn, i blith pobl fregus a gwan. Galwad oddi wrth Dduw oedd hon. Mae'r gwaith yn galed, ond yn llawn bendithion.'

Yn ôl rhai esbonwyr yr oedd sect yr Eseniaid yn cau allan o'u cymdeithas bawb ac unrhyw fath o nam corfforol arnynt. Eu bwriad oedd creu 'gweddill' perffaith a fyddai'n gnewyllyn i ddwyn y deyrnas i fod. Ond y mae Iesu am ddangos fod gras Duw yn ddiamod a diderfyn a bod y deyrnas yn agored i bawb yn ddiwahân. Nid oes neb i'w gau allan am ei fod yn dlawd, yn anafus, yn gloff neu'n ddall.

Bendithion Gostyngeiddrwydd

Pwysleisio gostyngeiddrwydd fel amod a sail bywyd y deyrnas a wna Iesu yn y ddameg hon. Gellir crynhoi ei neges fel a ganlyn.

Yn gyntaf, *gostyngeiddrwydd sy'n ein galluogi i dderbyn bendithion Duw.* Y sawl sy'n cymryd y sedd isaf yn y wledd sy'n cael ei wahodd i symud i le uwch. Ei ostyngeiddrwydd sy'n ei gymhwyso i dderbyn dyrchafiad. Nid yw'r balch a'r hunanfodlon yn barod i gydnabod fod ganddynt anghenion i'w diwallu ac o ganlyniad y maent yn eu hamddifadu eu hunain o'r hyn sydd gan Dduw i'w gynnig iddynt. Y gostyngeiddrwydd sy'n cydnabod bod gennym gymaint mwy i'w ddysgu yw cyfrinach gwir ddoethineb. Yn yr un modd, y gostyngeiddrwydd sy'n cydnabod fod arnom angen gras a maddeuant a chariad Duw yw cyfrinach gwir dduwioldeb. Chwedl John Bunyan:

> He that is down needs fear no fall,
> He that is low, no pride;
> He that is humble ever shall
> Have God to be his guide.

Yn ail, *gostyngeiddrwydd sy'n ein galluogi i dderbyn a gwerthfawrogi pobl eraill.* Nid yw'r dyn balch yn gweld ymhellach na'i urddas a'i bwysigrwydd honedig ei hun. Ond mae'r sawl sy'n cymryd y lle isaf yn y wledd yn cydnabod hawliau a rhagoriaethau pobl eraill. Ac y mae'r gwahoddwr sy'n estyn gwahoddiad i'r wledd i'r tlodion, yr anafusion, y cloffion a'r deillion yn cydnabod gwerth ac urddas pob person, pwy bynnag y bo. *'Mewn gostyngeiddrwydd bydded i bob un ohonoch gyfrif y llall yn deilyngach nag ef ei hun'* (Phil. 2: 3), meddai'r Apostol Paul. Fel uchel-eglwyswr, credai'r Esgob Trevor Huddleston ym mhresenoldeb real Crist yn y cymun, ond byddai'n dweud yn aml wrth ei gynulleidfa, 'If we believe in the real presence in the eucharist, we must also discern the real presence in our fellow human beings'. Ond rhaid wrth ostyngeiddrwydd i ganfod Crist yn ein cyd-ddyn.

Yn drydydd, *gostyngeiddrwydd yw sail gwir lawenydd.* Arwydd o lawenydd yw gwledd, a byddai Iesu'n aml yn cyffelybu bywyd y deyrnas i wledda. Nid yw'r balch yn mwynhau'r wledd am eu bod yn barhaus yn pryderu am eu statws a'u pwysigrwydd eu hunain. Gwraidd gostyngeiddrwydd yw'r ymdeimlad o ddyled, o gydnabod fod popeth a dderbyniwn ac a fwynhawn yn dod inni'n anhaeddiannol: y bwyd ar ein byrddau, ein hanwyliaid a'n cyfeillion, ein hiechyd a'n rhyddid, ein diwylliant a'n gwerthoedd. Ac yn fwy na dim, bendithion yr efengyl a bywyd y deyrnas. Derbyniwn y breintiau hyn bob dydd, ac o'u derbyn yn ostyngedig ac yn ddiolchgar y canfyddwn wir lawenydd.

Cwestiynau i'w trafod:

1. Pa agweddau ar ein bywyd crefyddol sy'n dueddol o borthi balchder?

2. Ym mha ystyr y darostyngir pob un sy'n ei ddyrchafu ei hun, ac y dyrchefir pob un sy'n ei ddarostwng ei hun?

3. Pam y mae gostyngeiddrwydd yn hanfodol yn ein hymwneud â Duw ac â phobl eraill?

ADEILADU TŴR

Luc 14: 25–33

Yn union o flaen yr adran hon ceir Dameg y Wledd Fawr yn dysgu fod Duw yn gwahodd pawb yn ddiwahân i lawenydd ei deyrnas (adn. 16–23). Ond er bod y gwahoddiad i bawb, mae Luc am ddangos fod derbyn y gwahoddiad yn gostus ac yn golygu rhoi'r deyrnas a'i gofynion o flaen popeth arall. Ni ddylai eiddo, na gofalon bydol, na galwadau teulu ddod rhwng person a galwad Duw. Y mae ymateb i'w alwad yn golygu teyrngarwch ac ymroddiad llwyr. Wrth weld y torfeydd niferus yn cyd-deithio ag ef gan dybio, mae'n siŵr, mai taith fuddugoliaethus oedd hon at ddyfodiad y deyrnas, ac y caent weld Iesu'n hawlio'i orsedd, mae Iesu'n eu hatgoffa fod y ffordd yn gorfod mynd yn gyntaf i Jerwsalem, ar hyd llwybr dioddefaint at droed y groes. Deirgwaith o fewn yr adran hon mae'n rhybuddio pob un: *'ni all fod yn ddisgybl i mi'* (adn. 26, 27 a 33) heb iddo gyfrif y gost a bod yn barod i ymryddhau'n llwyr o ofalon bydol a hunanol.

Caru Crist o flaen Pawb a Phopeth

Achos syndod i ni yw clywed Iesu'n dweud mai un o ofynion bod yn ddisgybl iddo yw *'casáu'* ein teulu a'n perthnasau. Mae'n amlwg nad yw 'casáu' i'w gymryd yn llythrennol. Yr hyn a olygir yw mai'r ail le sydd i fod i deulu a bod cariad at Iesu i ddod o flaen popeth arall. Dywed yr esbonwyr mai'r rheswm pam y defnyddia Iesu air mor gryf â 'chasáu' yw fod y meddwl dwyreiniol yn tueddu i ddefnyddio eithafion – golau a thywyllwch, gwirionedd a chelwydd, cariad a chasineb – heb unrhyw gyfaddawd rhyngddynt. Felly, i wrandawyr Iesu roedd 'casáu' tad a mam a gwraig a phlant yn golygu rhoi'r ail le iddynt ar ôl cariad llwyr at Iesu Grist. Mae Mathew yn cyfleu ystyr y geiriau heb gadw mor llythrennol atynt: *'Nid yw'r sawl sy'n caru tad neu fam yn fwy na myfi yn deilwng ohonof fi; ac nid yw'r sawl sy'n caru mab neu ferch yn fwy na myfi yn deilwng ohonof fi'* (Math. 10: 37). Yr oedd i'r geiriau hyn ystyr arbennig iawn i'r disgyblion cyntaf a adawodd deulu a chartref i ddilyn Iesu. Ond mae eu gwirionedd yn aros ac yn berthnasol i'n sefyllfa ninnau. Os cerir teulu yn fwy na charu Crist ni cheir gwir gariad at deulu nac at Grist. Ond os cerir Crist yn fwy na theulu ac anwyliaid, yna fe'u cerir hwy â'r math uchaf o gariad: cariad sy'n perffeithio a grymuso bywyd cartref a theulu. Hawlio teyrngarwch iddo'i hun yn gyntaf a wna Iesu, a chanlyniad hynny yw gosod perthynas â theulu ac â phobl eraill ar seiliau cadarn. Addewid bendant Iesu yw, '*Yn wir, rwy'n dweud wrthych nad oes neb a adawodd dŷ neu wraig neu frodyr neu rieni neu blant, er mwyn teyrnas Dduw, na chaiff dderbyn yn ôl lawer gwaith cymaint yn yr amser hwn, ac yn yr oes sy'n dod fywyd tragwyddol*' (Luc 18: 29–30). Bod yn deyrngar i Iesu o flaen pawb a phopeth arall yw amod troi pob sefyllfa yn ffynhonnell bendith a bywyd.

Cario'r Groes

Nid yw neb yn caru Iesu'n iawn onid yw'n ei garu yn fwy na'i einioes ei hun: '*Pwy bynnag nad yw'n cario ei groes ei hun ac yn dod ar fy ôl i, ni all fod yn ddisgybl imi*' (adn. 27). Ac yntau ar ei ffordd i Jerwsalem roedd Iesu'n ymwybodol fod cerdded llwybr ufudd-dod a chariad yn debygol o arwain at farw ar groes. Roedd bod yn ddisgybl yn golygu derbyn yr un parodrwydd i farw yn hytrach na throi cefn ar Iesu a'i wadu. Gwyddai'r Cristnogion cyntaf am her y geiriau hyn wrth iddynt wynebu erledigaeth o du'r Iddewon a'r ymerodraeth Rufeinig. Fe gyflwynodd Steffan ei ysbryd a'i gorff i ofal yr Arglwydd Iesu yn nannedd merthyrdod (Actau 7: 55–60). Ef oedd y cyntaf o blith miloedd, hyd at ein dyddiau ni, a fu'n barod i wynebu'r amod hon yn llythrennol ac aberthu ei fywyd dros ei ffydd yng Nghrist. Trwy gydol yr ugeinfed ganrif dioddefodd yr eglwys erledigaeth enbyd mewn rhai rhannau o'r byd ac amcangyfrifir fod mwy o Gristnogion wedi marw dros eu ffydd yn ystod y ganrif honno nag yn ystod unrhyw ganrif arall yn holl hanes cred. Gwahanol iawn yw gofynion Iesu i bwyslais rhai eglwysi cyfoes sy'n annog pobl i ymuno â hwy i gael esmwythâd neu addewid o lawenydd a llwyddiant. Nid bywyd esmwyth, ond croes, oedd amod bod yn ddisgybl yn ôl Iesu Grist.

Ond nid yn ei barodrwydd i ddioddef a marw yn unig y mae'r Cristion i godi ei groes, ond trwy hunanymwadiad dyddiol. Nid marw yw pennaf ystyr aberth yn y Testament Newydd, ond byw bywyd hunanaberthol, sef rhoi heibio'r hunan a phob uchelgais bydol mewn ufudd-dod llwyr i ewyllys a gofynion Duw. Nid yw'n syndod i Iesu rybuddio'r torfeydd mai un o ofynion bod yn ddisgybl oedd cyfri'r gost o godi'r groes, o ymwadu â'r hunan, o gerdded gydag ef ar lwybr dioddefaint, ac o bosibl orfod wynebu'r groes yn ei gwmni ac yn ei nerth.

Dwy Eglureb

Er y cyfeirir atynt fel damhegion, dwy eglureb mewn gwirionedd yw'r ddau ddarlun sy'n dilyn: y naill am un yn adeiladu tŵr a'r llall am frenin yn mynd i ryfel. Cyn cychwyn ar y naill fenter na'r llall rhaid cyfri'r gost. Yn yr un modd rhaid i bob un a fynno ddilyn Iesu ystyried yn ddwys beth a olygir wrth fod yn ddisgybl iddo. Mae Iesu'n rhybuddio'i ddilynwyr brwd rhag bod yn fyrbwyll wrth benderfynu ei ganlyn a chael eu hudo gan frwdfrydedd y foment. Os yw dyn yn penderfynu adeiladu tŵr, rhaid iddo'n gyntaf *'eistedd i lawr i gyfrif y gost, er mwyn gweld a oes ganddo ddigon i gwblhau'r gwaith'* (adn. 28). Mae'n bur debyg mai tŵr i warchod gwinllan a olygir. Byddai adeilad o'r fath heb ei gwblhau yn hollol ddiwerth. Ni allai weithredu fel amddiffynfa, ac yn waeth na hynny byddai'n datgan methiant y perchennog gerbron y byd a'i wneud yn gyff gwawd i gymydog a gelyn fel ei gilydd. Bydd gŵr doeth yn gwneud amcangyfrif gofalus o'r draul cyn dechrau ar y gwaith rhag iddo fethu â'i orffen, *'nes bod pawb sy'n gwylio yn mynd ati i'w watwar'* (adn. 29).

Mae Iesu hefyd yn disgwyl i'r rhai sy'n dymuno bod yn ddisgyblion iddo weithredu yr un mor synhwyrol ac ystyried holl oblygiadau ei ddilyn o ddydd i ddydd. Ond nid cost ac aberth yn unig sy'n wynebu'r sawl sy'n penderfynu gwneud ei ran i adeiladu'r deyrnas. Nid yw Iesu'n gofyn i neb gyflawni'r amhosibl yn eu nerth eu hunain. Mae ei Ysbryd ar gael i galonogi, i gynnal ac i gynorthwyo'i bobl i ddal ati hyd yr eithaf.

Mae'r ail eglureb, am frenin yn ystyried mynd i ryfel yn erbyn brenin arall, eto'n pwysleisio'r angen i gyfrif y gost ymlaen llaw. Annoeth fyddai i frenin gychwyn allan ar unwaith gyda byddin i setlo cweryl. Doethach fyddai ystyried yn ofalus pa siawns fyddai ganddo o lwyddo. Ar un olwg ychydig o obaith ennill sydd ganddo. Ond nid yw'r ffaith mai deng mil o filwyr yn unig yw maint ei fyddin, tra bo gan ei elyn ugain mil, o angenrheidrwydd yn golygu nad oes ganddo obaith ennill y frwydr.

Ceir yr awgrym y gellid cyflawni gorchest. Os tybia, wedi pwyso a mesur popeth, y gall fod yn hyderus o gario'r dydd, fe â'r brenin i'r frwydr gyda'i holl adnoddau. Ochr yn ochr â'r rhybudd i gyfrif y gost y mae addewid o adnoddau i wynebu'r frwydr ysbrydol. Mae hyn yn ein hatgoffa o eiriau Paul yn ei Lythyr at yr Effesiaid (6: 10–19), yn annog ei ddarllenwyr i wisgo holl arfogaeth Duw er mwyn medru wynebu'r frwydr yn erbyn pwerau drygioni. Amod bod yn ddisgybl, felly, yw cyfrif y gost ond, ar yr un pryd, ymegnïo i ymgyrchu dros yr efengyl yn nerth yr Arglwydd Iesu.

Ymwrthod â Buddiannau

Daw'r ddwy ddameg i ben gyda rhybudd Iesu, *'ni all neb ohonoch nad yw'n ymwrthod â'i holl feddiannau fod yn ddisgybl i mi'* (adn. 33). Mae neges yr adran hon yn ddigon clir: rhaid i'r rhai sy'n dymuno bod yn ddisgyblion i Iesu ystyried o ddifri y pethau y bydd yn rhaid iddynt ymwrthod â hwy os ydynt am fentro ar antur fawr y deyrnas.

Yn gyntaf, *rhaid ymwrthod â'r hunan.* Bywyd â'r hunan yn ganolbwynt iddo ydyw'r bywyd heb Grist: buddiannau'r hunan, lles yr hunan, pwysigrwydd yr hunan, datblygu potensial yr hunan sy'n cyfrif a dim arall. Ond mae dod yn ddisgybl yn golygu rhoi'r hunan heibio a gosod Iesu Grist yn y canol. Byw i ryngu bodd Crist, i gyflawni ewyllys Crist, i gerdded ffordd Crist, i fyw bywyd Crist, yw bywyd y disgybl.

Yn ail, *rhaid ymwrthod â gwerthoedd y byd.* Mewn byd lle mae Iesu a gwerthoedd yr efengyl yn mynd yn fwyfwy amhoblogaidd, dylid rhybuddio pobl y gallent hwythau hefyd fod yn amhoblogaidd ymysg llawer o'u cyfoedion o gymryd eu hochr gyda'r ffydd Gristnogol. Gŵyr llawer o aelodau eglwysig am y gwrthdaro rhwng egwyddorion Cristnogol a dulliau, gwerthoedd a safonau byd masnach, busnes a gwleidyddiaeth. Mae'r Cristion sy'n cymryd safiad dros yr efengyl yn aml yn destun gwawd ac anfri.

Yn drydydd, *rhaid ymwrthod â buddiannau materol.* Nid bod Iesu'n disgwyl inni wneud heb ddim o bethau materol bywyd, ond y gall adegau godi pan fydd rhaid dewis rhwng ymlyniad at bethau ac ymlyniad at Grist. Dros y canrifoedd bu rhai Cristnogion yn barod i ymwrthod â phopeth er mwyn ymateb i alwad yr Arglwydd Iesu: pobl

fel Kagawa yn Siapan, Schweitzer yn Lambarene, y Fam Theresa yn
Calcutta, a llu o rai tebyg.

Os rhaid ymwadu, dyro ras i mi
Rhag cadw dim yn ôl oddi wrthyt ti:
Na chaed nac aur na chlod na swyn y byd
Dy atal, Iesu da, i lenwi mryd.

Cwestiynau i'w trafod:

*1. A ydych yn cytuno bod caru Crist o flaen pawb a phopeth arall yn
gosod bywyd teuluol a chymdeithasol ar sylfaen gadarn?*

2. Beth yw nodweddion bywyd o hunanaberth?

*3. Trafodwch â'ch gilydd achlysuron pan fu'n rhaid i chi ddewis llwybr
anodd er mwyn bod yn deyrngar i Iesu Grist.*

Y SAMARIAD TRUGAROG

Luc 10: 25–37

O holl ddamhegion yr Arglwydd Iesu, hon yw'r fwyaf adnabyddus a'r fwyaf derbyniol gan bobl yn gyffredinol, yn arbennig felly rai oddi allan i'r eglwys. Dyma ddameg, meddent, sy'n dangos yn eglur fod pobl y byd yn well na phobl yr eglwys; fod teithiwr cyffredin ar ei daith yn well person nag offeiriad sychdduwiol neu gyfreithiwr ffroenuchel nad oes ganddynt y diddordeb lleiaf yng nghyflwr cyd-deithiwr sydd wedi'i anafu gan ladron pen-ffordd. Does dim sôn yn y ddameg hon am na chredo, na chapel na chyfundrefn grefyddol. Swm a sylwedd gwir grefydd, felly, yw dangos trugaredd a helpu cyd-ddyn. Ond cam dybryd â'r ddameg yw ei symleiddio'n ormodol. Mae a wnelo hon fwy â chred a chysyniadau crefyddol nag yr ymddengys ar yr olwg gyntaf.

Cysylltiadau'r Ddameg

Gellir dychmygu'r stori hon yn ennill clust gwrandawyr Iesu ar unwaith, ond nid er mwyn eu diddori yr adroddir hi. Ymateb ydyw i gwestiwn diwinyddol a gododd ynghanol trafodaeth gydag un o athrawon y Gyfraith. Gofynnwyd y cwestiwn '*i roi prawf arno*' (adn. 25), sef i brofi ei gymhwyster i ddysgu ac i ddelio â materion crefyddol o bwys. Gan fod Iesu'n sôn llawer am deyrnas Dduw a bywyd tragwyddol, naturiol oedd i'r cyfreithiwr geisio ateb ganddo i'r prif gwestiwn crefyddol, '*Beth a wnaf i etifeddu bywyd tragwyddol?*' (adn. 25). Yn hytrach na rhoi ateb uniongyrchol mae Iesu'n cyfeirio at y Gyfraith yr oedd y cyfreithiwr ei hun yn esboniwr ohoni i geisio'i gael i ateb ei gwestiwn ei hun. Dyfynna'r cyfreithiwr y ddau orchymyn mawr, i garu Duw a charu cymydog fel ef ei hun. Cytuna Iesu mai swm a sylwedd crefydd yw iawn berthynas â Duw ac â chymydog: '*gwna hynny, a byw fyddi*' (adn. 28), meddai. Dyma ffordd y deyrnas, y ffordd i etifeddu bywyd tragwyddol. Ond mae'r cyfreithiwr yn mynnu parhau'r drafodaeth trwy ofyn am ddiffiniad o'r gair 'cymydog'. Pe byddai Iesu'n rhoi'r ateb uniongred, sef mai cyd-Iddew yn unig oedd yn 'gymydog' iddo, gallai ddangos wedyn ei fod yn cadw'r gorchymyn yn fanwl. Ond pe bai'n rhoi ateb anuniongred ac yn mynnu bod 'cymydog' yn cynnwys pyblicanod, pechaduriaid a chenedl-ddynion, yna byddai'n cael ei ddinoethi fel gau-broffwyd peryglus. Felly, osgoi rhoi diffiniad uniongyrchol y mae Iesu. Yn hytrach, mae'n adrodd dameg i orfodi'r cyfreithiwr i benderfynu pwy yn y stori yw'r gwir gymydog. Neges y ddameg yw y gall dyn sydd â chariad yn ei galon ddarganfod pwy yw ei gymydog ym mha le bynnag y mae. Wrth gadw llygad ar agor am gyd-ddyn mewn angen am gymorth y dof o hyd i'm 'cymydog'. Y cwestiwn i'w ofyn wedyn yw, 'Sut y gallaf *fod* yn gymydog iddo?' Yn y ddameg, yr ateb a rydd Iesu i'r cwestiwn hwnnw yw 'trwy ei garu'.

Y Ffordd o Jerwsalem i Jericho

Ffordd serth, ysgythrog, ugain milltir o hyd oedd y ffordd rhwng Jerwsalem a Jericho, ac roedd yn ffordd ddiarhebol o beryglus oherwydd bod cynifer o ladron yn llechu yn yr ogofâu o boptu iddi. Mae'n bosibl fod y ddameg yn seiliedig ar hanes go iawn. Gan nad yw Iesu yn beirniadu offeiriaid a Lefiaid fel y cyfryw yn unman arall, barn rhai esbonwyr yw ei fod yn sôn am ddau ohonynt fel pe bai'r digwyddiad yn hysbys i'w wrandawyr. Gadawodd y lladron y truan yn noeth, yn glwyfedig ac yn anymwybodol. Oni bai i'r Samariad ddod heibio i'w gynorthwyo, gallai fod wedi marw. Mae'n bosibl fod yr offeiriad a'r Lefiad yn dychwelyd adref i Jericho ar ôl gorffen cyfnod o wasanaeth yn y Deml. Dyma ddau oedd yn cynrychioli haenau uchaf y genedl. Gellid disgwyl iddynt hwy yn anad neb achub bywyd cymydog o Iddew, ond nid oedd y naill na'r llall am roi cyfle i'r lladron ymosod arnynt hwy yn ogystal. Ac os oedd y truan wedi marw, gallent halogi eu hunain trwy gyffwrdd â chorff marw (Lef. 21: 11). Felly, aeth y ddau '*heibio o'r ochr arall*' (adn. 31, 32): geiriau sy'n gondemniad ar fethiant neu amharodrwydd pobl grefyddol i gymhwyso egwyddorion eu crefydd at angen dynol.

Daw masnachwr teithiol o Samaria heibio, estron a heretig yng ngolwg yr Iddew. Ond y mae hwn yn dangos tosturi a charedigrwydd, ac yn gosod gwell esiampl na chynrychiolwyr swyddogol y grefydd Iddewig. Yr unig beth a wêl ef yw cyd-ddyn mewn angen ac y mae'n tosturio wrtho. Mae Luc y meddyg yn nodi'n fanwl y modd y mae'n rhwymo'i glwyfau ac yn *'arllwys olew a gwin arnynt'* (adn. 34). Ond mae ei gymwynasgarwch yn mynd ymhellach na hynny. Wedi iddo'i osod ar ei anifail mae'n ei arwain i lety, yn gofalu amdano yno ac o'i boced ei hun yn talu drosto i'r gwesteiwr ddau ddarn arian, neu ddau *denarius,* a oedd yn cyfateb i gyflog dau ddiwrnod i weithiwr cyffredin, gyda'r addewid y byddai'n talu unrhyw dreuliau ychwanegol ar ei ffordd yn ôl.

Nid oedd ond un ateb i gwestiwn Iesu, *'Prun o'r tri hyn, dybi di, fu'n gymydog i'r dyn a syrthiodd i blith lladron?'* (adn. 36). Ni all y cyfreithiwr yngan yr enw atgas, *Samariad.* Ond fe wêl yn glir yr ateb i'w gwestiwn ei hun, sef mai *'yr un a gymerodd drugaredd arno'* (adn. 37), oedd cymydog y gŵr mewn angen.

Goresgyn Ffiniau

*Teimlai'*r Iddewon gasineb pur tuag at y Samariaid, a ystyrient yn genedl ysgymun. A'r un oedd eu hagwedd tuag at genedl-ddynion yn gyffredinol. Yr amarch mwyaf y gallai Iddew ei osod ar berson arall oedd ei alw'n Samariad. Ceisiodd rhai o'r Iddewon ddwyn anfri ar Iesu ei hun â'r geiriau, *'Samariad wyt ti, ac y mae cythraul ynot'* (Ioan 8: 48). Amhosibl oedd meddwl am neb ond cyd-Iddew fel 'cymydog', er i'r offeiriad a'r Lefiad fethu ag ymddwyn yn gymdogol hyd yn oed tuag at Iddew arall. Yr hyn a wnaeth Iesu yn y ddameg hon oedd dangos fod cariad Duw yn cwmpasu pawb o bob hil a chenedl, a dangos felly nad oes modd gosod ffiniau i'r gymdogaeth dda sy'n deillio o ymarfer cariad Duw tuag at gyd-ddyn. Dyma bwyslais newydd, gwreiddiol, yn nysgeidiaeth foesol y byd. Dros y canrifoedd tynnwyd llinellau terfyn rhwng cenhedloedd, hiliau, ieithoedd, llwythau a chrefyddau. Ond un o effeithiau amlycaf dyfodiad yr efengyl yw ei bod yn goresgyn y ffiniau: *'Nid oes yma ragor rhwng Groegiaid ac Iddewon, enwaediad a dienwaediad, barbariad, Scythiad, caeth, rhydd; ond Crist yw pob peth, a Christ sydd ym mhob peth'* (Col. 3: 11).

Nid fod y ffiniau'n peidio â bod. Ni ellir gwadu bodolaeth yr amrywiaeth cyfoethog o fewn y teulu dynol, ac ynfydrwydd yw meddwl am greu un genedl fyd-eang ac un iaith i'r holl fyd. Ond y mae cariad Crist yn ein galluogi i edrych dros bob ffin ac i weld a derbyn ein gilydd, nid fel gelynion, na bygythion, na rhai israddol i ni, ond fel brodyr a chwiorydd o fewn yr un teulu dynol. Dyma athroniaeth sy'n herio pob rhagfarn hiliol, pob llen haearn, pob gelyniaeth wleidyddol, a phob rhaniad enwadol. Y dylanwad mwyaf dyrchafol a dyngarol yn y byd yw dylanwad y cariad tosturiol, ymarferol a welwn ar waith yn y ddameg hon.

Ystyr Newydd i Eiriau

Neges ganolog Dameg y Samariad Trugarog yw nad oes lle i ffiniau na therfynau yn ein dealltwriaeth o bwy yw ein cymydog, beth yw ystyr cariad, a beth yw natur gwir grefydd. Rhoi'r ystyr ehangaf posibl a wna Iesu i'r tri gair: *cymydog, cariad, crefydd*.

Yn gyntaf, *mae'n rhoi'r ystyr ehangaf i'r gair 'cymydog'*. Gorfodwyd y cyfreithiwr i gydnabod mai cymydog yw'r sawl sy'n gwneud ei orau i helpu ei gyd-ddyn, heb roi unrhyw ystyriaeth i wahaniaethau hil, cenedl, iaith na chrefydd. Er mor atgas ganddo oedd gorfod cydnabod y posibilrwydd o dderbyn Samariad fel cymydog, ni allai osgoi'r ystyr eang, hollgynhwysol a roddai Iesu i'r gair. Yn yr un modd, nid oes gan y Cristion hawl i osod unrhyw amodau ar estyn cymorth i'r anghenus. Er enghraifft, ni ddylid holi a yw'n deilwng o gymorth? Beth yw ei grefydd? I ba genedl y mae'n perthyn? Beth yw ei safle mewn cymdeithas? Mor hawdd yw i ragfarn, difrawder, calon-galedwch a phrysurdeb gyda mân bethau achosi inni esgeuluso anghenion cymydog, pwy bynnag y bo. Rhaid sicrhau fod lle i bob person byw o fewn cylch ein 'cymdogion'.

Yn ail, *mae'n rhoi'r ystyr ehangaf i'r gair 'cariad'*. Er nad yw Iesu'n defnyddio'r gair cariad fel y cyfryw yn y ddameg, ei fwriad yw dangos beth yw cariad yn ei hanfod. Nid mater o deimlad nac emosiwn mohono. O gofio'r elyniaeth oedd yn bodoli rhwng Iddewon a Samariaid, go brin y byddai'r Iddew ar lawr na'r Samariad a ddaeth i'w gynorthwyo yn 'hoffi' ei gilydd. Er hynny, roedd y Samariad yn barod i ymateb yn ymarferol i angen ei gyd-ddyn – Iddew neu beidio. Nid yw tosturi a chydymdeimlad yn unig yn ddigon; gwir gariad yw ymateb yn ymarferol i bob un sydd angen cymorth a nawdd. A gair olaf Iesu wrth gloi'r ddameg yw, '*Dos, a gwna dithau yr un modd*' (adn. 37), gyda'r pwyslais ar y gair *gwna*.

60

Yn drydydd, *mae'n rhoi'r ystyr ehangaf i'r gair 'crefydd'.* Cynrychioli'r Gyfraith Iddewig a wna'r offeiriad a'r Lefiad. A hwythau ar eu ffordd adref ar ôl cyflawni eu gorchwylion yn y deml, byddent yn eu halogi eu hunain pe baent yn cyffwrdd â chorff marw ac o ganlyniad byddai'n amhosibl iddynt gynnal gwasanaeth crefyddol am ddyddiau. Er nad oedd sicrwydd fod y truan ar ochr y ffordd wedi marw, gwell oedd cadw at reolau'r Gyfraith na mentro. Yr oedd rheolau eu crefydd yn eu hatal rhag cynorthwyo cyd-ddyn ar lawr. I Iesu yr oedd crefydd o'r fath yn gwbl groes i wir ysbryd y Gyfraith. Hanfod gwir grefydd yw brawdgarwch, cymwynasgarwch, gwasanaeth a chymorth i gyd-ddyn. Diben oesol Dameg y Samariad Trugarog yw ein hatgoffa na fedrwn wasanaethu Duw heb wasanaethu ein cyd-ddynion.

Cwestiynau i'w trafod:

1. Diffiniwch ystyr 'cariad Cristnogol' yng ngoleuni'r ddameg hon.

2. Pa ffiniau sy'n peryglu undod y teulu dynol heddiw, a sut mae eu goresgyn?

3. Ym mha ystyr y mae'r offeiriad a'r Lefiad yn cynrychioli crefydd ffals ac anghywir?

Y GORUCHWYLIWR ANONEST

Luc 16: 1–13

O holl ddamhegion Iesu, hon yw'r fwyaf beiddgar a'r un sydd wedi peri'r mwyaf o benbleth i Gristnogion dros y blynyddoedd. Y rheswm am hynny yw fod Iesu yn y ddameg yn dysgu gwers i'w ddilynwyr ar sail ymddygiad twyllwr cyfrwys a geisiodd achub ei groen ei hun trwy gynllwyn anonest a dichellgar. Nid cymeradwyo anonestrwydd y dyn y mae Iesu, ond yn hytrach ei gallineb a'i ddyfeisgarwch.

Dehongli'r Stori

Mae'r ddameg ei hun yn gorffen gydag adn. 8, a'r adnod honno sy'n rhoi inni eglurhad o'i neges. Ceir cymeriadau cyfrwys ac athrylithgar yn y stori. I ddechrau, ceir y meistr, a ddisgrifir fel *'dyn cyfoethog'*, (adn. 1) segur, nad yw'n gwneud dim ond mwynhau bywyd braf. Mae'n ymddiried y gofal am ei fusnes a'i arian i'w oruchwyliwr, stiward ei ystad. Daw i glyw'r meistr fod y goruchwyliwr yn ei dwyllo ac yn sianelu ei arian i'w boced ei hun. Diswyddir y goruchwyliwr anonest yn ddiymdroi ond rhoddir amser iddo baratoi ei gyfrifon i'w gyflwyno i'w feistr. Mae'n sylweddoli ei bod yn argyfwng arno. O golli ei fywoliaeth gysurus, nid yw'n debygol o gael gwaith tebyg eto. Nid yw'n ddigon cryf i labro ac y mae arno ormod o gywilydd cardota. Yna, mae'n taro ar gynllun a allai ddiogelu ei ddyfodol a sicrhau iddo gefnogaeth cyfeillion, pe bai angen hynny arno. Mae'n galw holl ddyledwyr ei feistr ato ac yn gostwng eu dyledion: mil o fesurau o olew yn cael eu torri i bumcant, a mil o fesurau o rawn yn cael eu torri i wyth gant.

Mae rhai esbonwyr wedi awgrymu mai'r hyn a wnaeth y goruchwyliwr wrth ostwng biliau'r dyledwyr oedd fforffedu'r elw, neu'r comisiwn, y buasai ef ei hun wedi disgwyl ei gael am ei waith. Byddai gweithred felly yn gwbl gyfreithlon. Byddai ef ei hun ar ei golled ond byddai arian ei feistr yn ddiogel. O dderbyn y dehongliad yna, prin y dylid ei alw'n *oruchwyliwr anonest* yn adn. 8. Ac yn yr adnod honno y ceir yr allwedd i ddeall ystyr a neges y ddameg: *'Cymeradwyodd y meistr y goruchwyliwr anonest am iddo weithredu yn gall; oherwydd y mae plant y byd hwn yn gallach na phlant y goleuni yn eu hymwneud â'u tebyg.'* Nid canmol anonestrwydd y goruchwyliwr y mae'r meistr (na Iesu chwaith), ond canmol ei grafffter, ei ddyfeisgarwch a'i gallineb. Wrth ddweud fod y goruchwyliwr yn *gallach* na phlant y goleuni, mae'r gair yn y gwreiddiol yn golygu'n llythrennol 'ymarferol gall' (*astute*, neu *shrewd* yn Saesneg), sef bod yn ddigon hirben a chraff i sylweddoli fod achos arbennig yn galw am ymroddiad ac ymdrech i'r eithaf.

Esiampl Plant y Byd Hwn

Y mae mesur o siom a thristwch yng ngeiriau Iesu wrth iddo egluro neges y ddameg i'w ddisgyblion yn adn. 8, sef bod plant y byd hwn yn gallach na phlant y goleuni. *'Plant y byd hwn'* yw'r bobl hynny y mae eu bywyd a'u gwaith a'u diddordebau yn troi yn gyfan gwbl o gwmpas pethau materol, bydol ac ariannol. *'Plant y goleuni'* yw'r rhai sydd wedi eu goleuo gan eu ffydd a'u hadnabyddiaeth o Dduw, sydd yn adnabod Iesu Grist ac yn ceisio'i ddilyn. Gellid disgwyl y byddai'r rhai sydd â'u bryd ar bethau ysbrydol a thragwyddol yn dangos mwy o ymroddiad i bethau Duw ac i ofynion crefydd nag yw pobl fydol yn eu hymroddiad hwy i bethau materol, tymhorol y byd hwn. Ond yn aml y mae brwdfrydedd ac ymroddiad *'plant y byd hwn'* i'w gweithgareddau materol ac ariannol yn codi cywilydd ar *'blant y goleuni'* sydd mor aml yn glaear a diymdrech yn eu hymwneud â gwaith y deyrnas. Dweud y mae Iesu, 'Byddai'n dda gen i petai fy nilynwyr i'n defnyddio'r un mesur o ddyfeisgarwch a dygnwch i achos teyrnas Dduw ag y mae pobl ddrwg yn eu defnyddio wrth gynllunio a chyflawni eu drygau.'

Nid canmol *gweithredoedd* pobl ddrwg ac anonest y mae, ond canmol eu *callineb* a'u *hymroddiad*. Peth digon cyffredin yw gweld ymroddiad sy'n ardderchog ynddo'i hun, ond yn cael ei ddefnyddio i ddibenion drwg. Peth ardderchog yw anturiaeth, ond y mae anturiaeth anghyfrifol yn beryglus. Peth ardderchog yw gwroldeb, ond y mae gwroldeb sy'n mawrygu lladd a rhyfela yn wrthun. Peth da yw callineb, ond y mae defnyddio callineb i dwyllo a gwneud drwg yn annerbyniol. Gofyn am ymroddiad yng ngwaith y deyrnas y mae Iesu. Os yw plant y byd hwn yn frwd ac yn sgilgar wrth drin a thrafod pethau materol, mae ganddynt lawer i'w ddysgu i blant y goleuni sydd mor aml yn araf, yn ddiddychymyg ac yn ddifenter ynglŷn â gwaith a chenhadaeth yr eglwys.

Ymroddiad a Ffydd

Y mae ymroddiad yn elfen hanfodol mewn ffydd go iawn. Os yw dyn yn credu mai mewn pentyrru arian a chyfoeth materol y mae canfod hapusrwydd a llawnder bywyd, yna mae'n cyfeirio'i holl egni i'r dasg o ymgyfoethogi. Ar y llaw arall, os yw dyn yn credu mai mewn ffydd ac wrth feithrin gwerthoedd ysbrydol y mae canfod bywyd yn ei lawnder, yna fe ddylai ddefnyddio'r un mesur a'r un egni yn ei fywyd ysbrydol. Does mo'r fath beth â ffydd heb ymroddiad ac ymdrech. Meddai Puleston Jones yn ei ysgrif, ' Ffydd mewn Dillad Gwaith': ' Mwy o weddïo a mwy o waith – y ddau hefo'i gilydd sydd eisiau ... Mae tuedd mewn rhai ohonom i fod yn fyfyrdod ac yn weddi i gyd, a heb fod yn waith. Mae eraill ohonom yn ffwdan i gyd, heb fod yn weddïwyr. Mae eisiau'r ddau. Rhaid i ni fod nid yn rhywbeth ar ein gliniau yn unig, ond yn rhywbeth ar ein traed hefyd.'

Rhaid wrth lawer iawn o dorchi llewys i hybu gwaith eglwys Iesu Grist, a diolch am y gweithwyr ymroddgar hynny sy'n cynnal tystiolaeth ein heglwysi a'n capeli ar hyd a lled y wlad. Y mae angen llawer iawn o dorchi llewys i weithredu egwyddorion y deyrnas yn y byd: i hybu tangnefedd lle bo trais a rhyfela, i fwydo'r newynog, i sefyll dros hawliau a rhyddid a thegwch mewn byd o ormes ac anghyfiawnder.

Yn y gyfrol *Ten Growing Churches*, holwyd gweinidog un o'r eglwysi oedd yn llwyddo ac yn cynyddu beth oedd cyfrinach eu llwyddiant, a'i ateb oedd, ' Fifty per cent serious prayer, and fifty per cent hard slog!' Pan yw Iesu yn canmol y goruchwyliwr anonest am ei ymroddiad yn gwneud drwg, y mae'n ein herio ninnau i ddefnyddio'r un mesur o ymroddiad yn ein bywyd a'n tystiolaeth fel Cristnogion.

Y Mamon Anonest

Gan fod a wnelo Dameg y Goruchwyliwr Anonest â gŵr yn camddefnyddio arian ei feistr, y mae Luc yn gosod dywediadau eraill o eiddo Iesu'n ymwneud ag arian fel math o ddilyniant i'r ddameg. Ceir y dywediadau hyn mewn cysylltiadau gwahanol yn Efengyl Mathew, sy'n awgrymu mai gwaith Luc oedd cysylltu'r ddameg wreiddiol (adn. 1–8) â'r ychwanegiadau hyn (adn. 9–13). O ganlyniad, bu llawer o hen esbonwyr yn dehongli'r ddameg fel gwers ar sut i drin arian yn gyfrifol. Er mai prif ergyd y ddameg, fel y gwelsom, yw fod gan blant y byd hwn lawer i'w ddysgu i blant y goleuni, y mae'r adnodau sy'n dilyn yn dysgu tair gwers arall am y defnydd o arian.

Yn gyntaf, *rhaid defnyddio arian yn gyfrifol* (adn. 9). Er bod arian yn aml yn gynnyrch anonestrwydd (y *'Mamon anghyfiawn'*), eto gellir ei waredu trwy ei ddefnyddio i ddibenion cyfrifol a charedig i wneud cyfeillion, sef i gynorthwyo eraill, yn enwedig y tlodion. Nid yw Iesu'n condemnio defnyddio arian, hyd yn oed os yw ei darddiad yn amheus, oherwydd prin fod y fath beth yn bod ag 'arian glân'. Ond nid oes y fath beth ag 'arian aflan chwaith,' gan nad yw arian ynddo'i hun yn lân nac yn aflan. Y mae'n lân neu'n aflan yn ôl y defnydd a wneir ohono. Trwy ddefnyddio arian yn gyfrifol i gynorthwyo eraill y mae person yn gwneud daioni iddo'i hun ac i bobl eraill. Datblygwyd yr egwyddor hon ym mywyd yr Eglwys Fore, gyda'r credinwyr yn rhannu arian ac eiddo (Actau 4: 32). Yn lle gadael i arian feithrin balchder a chreu ffiniau rhwng y tlawd a'r cyfoethog a phorthi trachwant, fe ddangosodd Iesu mai gwerth pennaf arian oedd bod yn gyfrwng i gynorthwyo'r anghenus, i wneud cyfeillion ac i greu ymdeimlad o gymdeithas ac o gyfrifoldeb tuag at gyd-ddyn.

Yn ail, *y mae'r modd y mae person yn trin arian yn dangos ei gymhwyster (neu ei ddiffyg cymhwyster) i drin pethau o dragwyddol bwys* (adn.10–12). Trwy fod yn gyfiawn ac yn onest wrth ymdrin ag arian a phethau materol y mae arweinwyr yn dangos eu bod yn deilwng o gymryd cyfrifoldeb am bethau pwysicach. Cyfeirir at arian a meddiannau materol fel *'y pethau lleiaf'* (adn. 10). Oni ellir ymddiried mewn person i drin pethau cymharol ddibwys yn gyfrifol a gonest, ni ellir ymddiried ynddo i ofalu am y *'pethau mawr'* neu *'y gwir olud'*. Yr awgrym yw fod y byd a'r bywyd hwn yn gyfle i'r Cristion gael hyfforddiant ar gyfer gwasanaethu ei Arglwydd yn y byd a ddaw.

Yn drydydd, *ni ellir gwasanaethu Duw a Mamon* (adn. 13). Tarddodd y gair Mamon (i ddynodi arian) o wreiddyn Aramaeg yn golygu 'yr hyn yr ymddiriedir ynddo'. Nid yw Iesu'n condemnio arian fel y cyfryw. Yn hytrach y mae'n rhybuddio rhag y perygl i arian fygwth disodli Duw fel unig wrthrych cariad a theyrngarwch pobl. Os rhoi eu hymddiriedaeth mewn arian a phethau materol yr oedd pobl, yna ni allent fod yn ymddiried yn llwyr yn Nuw. Roedd yn rhaid iddynt wneud y dewis pa un oedd i reoli eu bywydau, Duw ynteu Mamon? Yn wyneb y peryglon oedd ynghlwm wrth arian a'r defnydd ohono, cyngor Iesu yn y ddameg ac yn y dywediadau sy'n dilyn yw, 'Gweithredwch yn gall!'

Cwestiynau i'w trafod:

1. Pa wersi sydd gan bobl y byd hwn i'w dysgu i bobl Dduw heddiw?

2. I ba raddau y gellir dweud mai diffyg ymroddiad yn hytrach na diffyg ffydd yw'r broblem fwyaf sy'n wynebu'r eglwys heddiw?

3. Sut y mae gonestrwydd wrth drin arian yn berthnasol i'n bywyd ysbrydol?

Y DYN CYFOETHOG A LASARUS

Luc 16: 19–31

Thema ganolog y bennod hon yw'r iawn ddefnydd o arian. Yn rhan gyntaf y bennod (adn. 1–13), y mae Iesu'n adrodd Dameg y Goruchwyliwr Anonest ac yn diweddu'r ddameg gyda'r datganiad digymrodedd: *'Ni allwch wasanaethu Duw a Mamon'* (adn. 13). Ond ymateb y Phariseaid, a ddisgrifir fel pobl ariangar, oedd gwatwar Iesu. Roeddent hwy yn credu y gallent wasanaethu Duw ac ar yr un pryd roi eu bryd ar arian. Ond heriodd Iesu'r syniad hwn trwy bwysleisio na allai neb roi ei deyrngarwch llwyr i fwy nag un gwrthrych. Tra byddwn ni'n tueddu i wrthgyferbynnu ffydd ag amheuaeth, cred ag anghrediniaeth, Duw ag atheistiaeth, fe wrthgyferbynnodd Iesu ffydd ag eilunaddoliaeth, Duw â Mamon. Amhosibl oedd i'r Phariseaid roi'r fath fri ar arian ac ariangarwch ac ar yr un pryd honni eu bod yn ffyddlon i Dduw ac i ofynion y Gyfraith. Ar ben hynny, roedd tuedd ymhlith yr Iddewon i edrych ar lwyddiant bydol fel arwydd o fendith Duw. Ond y mae Iesu'n ymosod ar y safbwynt gwyrdroëdig hwn: *'y mae Duw yn adnabod eich calonnau; oherwydd yr hyn sydd aruchel yng ngolwg y cyhoedd, ffieiddbeth yw yng ngolwg Duw'* (adn. 15). Un peth yw bod yn dda yng ngolwg pobl eraill, ond y mae Duw yn ein hadnabod yn drwyadl ac ni ellir ei dwyllo ef. Nid cyfoeth sy'n profi fod dyn yn dda neu'n dduwiol. Er mwyn gyrru'r gwirionedd hwn i galonnau'r Phariseaid ariangar yr adroddodd Iesu'r ddameg hon. Er bod Lasarus, y dyn tlawd, wrth ddrws y dyn cyfoethog bob dydd ac yn amlwg mewn angen, mae'r dyn cyfoethog yn medru ei anwybyddu heb i'w gydwybod ei boeni o gwbl. Cyflwynir y ddameg inni fel drama fer ddwy act: yr act gyntaf wedi ei lleoli yn y byd hwn a'r ail act yn y byd a ddaw, a cheir epilog yn dilyn.

Drama Ddwy Act

Yn yr act gyntaf darlunnir bywyd Iddew cyfoethog: *'Yr oedd dyn cyfoethog oedd yn arfer gwisgo porffor a lliain main, ac yn gwledda'n wych bob dydd'* (adn.19). Mae'r gŵr hwn yn mwynhau'r gorau o bopeth; mae ei wisg yn ddrudfawr, ei fwrdd yn fras a chwmni cyfeillion yn ei ddiddanu. Ond gwahanol iawn yw cyflwr Lasarus. Y mae'n gorwedd yn dlotyn truenus, dolurus wrth borth y dyn cyfoethog. Y mae mor newynog fel ei fod yn ysu am gael ei ddiwallu â'r tameidiau bara oedd yn disgyn oddi ar fwrdd y gŵr cyfoethog a'u sathru dan draed. Y mae'n rhy wan i yrru i ffwrdd y cŵn aflan a ddaw heibio a llyfu ei gornwydydd. Ond ef, y truan tlawd, sy'n cael ei enwi, nid y dyn cyfoethog. Ac ystyr yr enw 'Lasarus' yw 'un a gafodd ei helpu gan Dduw'. Gan fod Lasarus yn cael ei lyfu gan gŵn aflan fe'i hystyrid ef yn aflan gan grefyddwyr ei ddydd. Mae clywed mai hwn sy'n cael mynediad i wledda yn y nefoedd wrth ochr Abraham yn sioc i wrandawyr Iesu.

Daw hyn â ni at ail act y ddrama, a leolir yn y byd a ddaw. Gwelwn fod sefyllfa'r ddau ŵr wedi newid yn llwyr. Ceir mewn llenyddiaeth Iddewig y syniad fod angylion gwasanaethgar yn dod i gludo eneidiau'r cyfiawn at y patriarchiaid ym Mharadwys, ac angylion dinistriol yn dod i ddwyn eneidiau'r annuwiol i Annwn neu Gehenna. Setlir tynged Lasarus a'r gŵr goludog yn derfynol pan fyddant farw. Bellach y mae gwahaniaeth dirfawr yng nghyflwr y ddau. Croesewir Lasarus i'r cwmni gorau, i gymdeithas agos ag Abraham wrth fwrdd y wledd. Ond y mae'r dyn cyfoethog yn Hades, trigfan y meirw, 'mewn poen arteithiol' (adn. 23). Gwêl Abraham a Lasarus o bell ac apelia at y patriarch gan ofyn y ffafr leiaf ganddo, sef iddo ganiatáu Lasarus 'i wlychu blaen ei fys mewn dŵr ac i oeri fy nhafod' (adn. 24). Erbyn hyn y mae'n adnabod Lasarus ac yn gwybod ei enw, ond gan fod agendor llydan wedi ei osod rhwng y ddau fyd amhosibl yw ymateb i'w gais. Wrth iddo anwybyddu Lasarus yn y byd hwn a gwrthod rhannu'i gyfoeth ag ef, fe gloddiodd y dyn cyfoethog agendor rhwng y ddau oedd yn parhau hyd dragwyddoldeb. Yn hytrach na defnyddio'i gyfoeth i feithrin perthynas rhwng y ddau pan oedd cyfle i wneud hynny, fe droes ei gyfoeth yn achos eu gwahanu. A chan i'w arian droi'n eilun iddo, bu'n achos i'w wahanu oddi wrth Dduw yn ogystal.

Ym marn rhai esbonwyr, roedd y ddameg wreiddiol yn dod i ben gydag adnod 25, ac adnodau 26 i 31 yn ychwanegiad gan rywun i ddysgu nad oes gobaith i neb newid ei gyflwr ar ôl iddo ymadael â'r byd hwn – neges wahanol i brif ergyd y ddameg. P'run bynnag, mae dioddefiadau'r gŵr cyfoethog yn Hades yn ennyn ynddo bryder am eraill. Dylid felly rybuddio'r rhai sydd mewn perygl o gael eu hunain yn yr un man ag yntau.

Dywed fod ei bum brawd dan anfantais am na chawsant rybudd o'r hyn a allai ddigwydd iddynt hwythau. Pe bai modd anfon rhywun sy'n llygad-dyst i'w ffawd ef i'w rhybuddio, gallent newid eu ffordd mewn pryd ac osgoi cosb gyffelyb. Ond ateb Abraham yw fod ganddynt Moses a'r proffwydi i'w dysgu.

Ceir cyfarwyddyd clir yn y Gyfraith ac yn nysgeidiaeth y proffwydi ynglŷn â'r ddyletswydd i ofalu am gyd-ddyn mewn angen ac i wasanaethu'r tlawd. A cheir yn yr Ysgrythurau ddigon o rybuddion am beryglon bydolrwydd, hunanoldeb, ariangarwch a diffyg gofal am yr anghenus. Er ymbil taer y gŵr goludog, y gair olaf yw na ellir argyhoeddi'r rhai sy'n gwrthod dysgeidiaeth Duw yn yr Ysgrythur, *'hyd yn oed os atgyfoda rhywun o blith y meirw'* (adn. 31). Efallai fod ail ran y ddameg yn gerydd i Sadwceaid y dosbarth aristocrataidd, cyfoethog yn Israel, a oedd yn ymwrthod â'r gred mewn atgyfodiad a'r bywyd tragwyddol. Heb orfod ateb i Dduw yn y byd a ddaw, nid oedd angen iddynt boeni am eu diffyg gofal am y tlawd a'r gwan yn y byd hwn.

Darluniau a Syniadau Iddewig

Y mae perygl i'r syniadau Iddewig ynglŷn â nefoedd ac uffern a geir yn y ddameg beri inni golli golwg ar ei phrif neges. Roedd yn naturiol i Iesu ddefnyddio delweddau a darluniau a oedd yn gyfarwydd i'w gyfoedion, ond y mae llawer ohonynt yn amherthnasol ac annerbyniol i'n hoes ni.

Yn gyntaf, bod dyn da, wrth farw, yn mynd i fynwes Abraham. Syniad hollol Iddewig yw hwn, ond un hollol ddealladwy. Ystyrid Abraham yn dad y genedl ac yr oedd yn naturiol i Iddewon gredu y byddai ei blant yn dychwelyd ato ar ôl gadael y byd hwn. Yn ail, daw'r darlun o angylion yn cludo eneidiau'r cyfiawn i Baradwys o syniadau a boblogeiddiwyd gan Rabiniaid Iddewig. Yn drydydd, syniad Iddewig eto yw'r darlun o uffern fel lle o boen a thân poeth lle'r anfonir pechaduriaid i'w cosbi am dragwyddoldeb. O'i gymryd yn llythrennol, mae'r fath syniad yn wrthun o ddisynnwyr, ac o safbwynt Cristnogol yn amhosibl i'w gysoni â Duw cariad. Yn bedwerydd, syniad yr un mor ddiystyr yw'r awgrym fod y cadwedig a'r colledig yn gweld ei gilydd yn y byd tu draw i'r llen, a bod gweld y rhai drwg yn cael eu poenydio yn uffern yn ychwanegu at nefoedd y saint, a bod gweld y saint yn mwynhau bendithion y nefoedd yn ychwanegu at boenau'r pechaduriaid yn uffern! Ond er na fedrwn dderbyn yn llythrennol y darluniau sydd yn y ddameg, mae ei gwers ganolog yn arbennig o berthnasol i'n hoes ni.

Dyngarwch a Thragwyddoldeb

Yn y lle cyntaf, mae'r ddameg yn dysgu *pwysigrwydd dyngarwch*. Y mae Duw yn ein cyfarfod ym mhob Lasarus tlawd, naill ai wrth ein drws ein hunain neu ym mhen draw'r byd. Ni fedrwn hawlio anwybodaeth ynghylch argyfwng tlodion y ddaear. Beunydd fe welwn eu cyrff esgyrnog ar dudalennau'n papurau dyddiol ac ar y sgrin deledu. Cawn ein hatgoffa'n gyson fod chwarter poblogaeth y byd yn hawlio tri chwarter adnoddau'r ddaear, a thri chwarter y boblogaeth yn gorfod ymlafnio byw ar y gweddill prin. Nid yn unig mae'r fath sefyllfa yn groes i bob syniad o degwch a chyfiawnder, ond mae hefyd yn groes i feddwl ac ewyllys Duw. Mae i ni wrthod ymateb i anghenion tlodion ein dydd yn ein gwneud yr un mor euog â'r gŵr cyfoethog a ddewisodd anwybyddu angen Lasarus dlawd. Meddai William Barclay, 'Rhybudd difrifol yw gweld nad gwneud pethau drwg oedd pechod y gŵr cyfoethog, ond peidio â gwneud dim.' Trasiedi'r sefyllfa heddiw yw mai'r gorllewin 'Cristnogol' sy'n bennaf cyfrifol am anwybyddu'r tlodion yn ein byd.

Yn ail, *bydd pob dyn yn atebol yn y byd a ddaw am y defnydd a wnaeth o'i gyfoeth yn y byd hwn.* Gellir crynhoi'r rhan hon o neges y ddameg yng ngeiriau Iesu, '*Pa elw a gaiff rhywun os ennill yr holl fyd a fforffedu ei fywyd*' (Math. 16: 26). Rhaid wrth syniad cywir am bwrpas bywyd a rhaid defnyddio'i adnoddau i ddibenion cywir. Methiant y gŵr goludog i wneud hynny sy'n cyfrif am ei gyflwr truenus yn y byd arall. Nid yw'n cael ei gosbi am fod yn gyfoethog, ond oherwydd iddo gamddefnyddio'i gyfoeth i ddibenion hunanol yn unig. Nid ei gyfoeth ond ei gymeriad sy'n ei gollfarnu. Y mae wedi cael ei wynfyd yn y byd hwn, ac am iddo wrthod dangos caredigrwydd a thrugaredd at ddyn tlawd y mae'n ei amddifadu ei hun o oludoedd ysbrydol y byd a ddaw.

Yn drydydd, *Duw a'i air yn Iesu Grist sy'n ein dysgu i gerdded llwybr cariad a dyngarwch.* Mae'r gŵr cyfoethog yn awyddus i rywun fynd i rybuddio ei bum brawd. Gallent hwy osgoi'r un ffawd ag ef, dim ond iddynt newid eu buchedd a meithrin syniad uwch am fywyd ac am gyfrifoldeb at gyd-ddyn. Ond ni fyddai anfon Lasarus atynt o unrhyw ddiben. Os nad oeddynt yn barod i ymateb i ddysgeidiaeth glir Moses a'r proffwydi yn yr Ysgrythurau, *'yna ni chânt eu hargyhoeddi hyd yn oed os atgyfoda rhywun oddi wrth y meirw'* (adn. 31). Nid trwy ddigwyddiad rhyfeddol, gwyrthiol, y mae cael pobl i fyw yn gyfrifol ac yn drugarog, ond trwy iddynt ddysgu ffordd cariad a dyngarwch wrth draed Iesu.

Cwestiynau i'w trafod:

1. Beth yw'r arwyddion fod arian yn cymryd lle Duw yn ein bywydau? Ai rhoi pethau o flaen pobl yw un o'r arwyddion hynny?

2. Beth sydd gan y ddameg hon i'w ddysgu inni am y byd a ddaw?

3. 'Erbyn hyn rhaid gwneud mwy na chasglu arian at y tlodion; rhaid chwyldroi'r drefn economaidd sy'n gyfrifol am eithafion cyfoeth a thlodi.' A ydych yn cytuno?

Y DDAFAD GOLLEDIG

Luc 15: 1–7

'Efengyl o fewn efengyl' oedd disgrifiad rhywun o'r bymthegfed bennod o Efengyl Luc gan fod y tair dameg yn y bennod hon – y Ddafad Golledig, y Darn Arian Colledig a'r Mab Colledig – yn delio â'r un thema ac ar agweddau ar yr un gwirionedd. Mae hanes y ddafad golledig a'r darn arian coll yn pwysleisio gwaith Duw yn chwilio amdanom ni, bechaduriaid colledig.

Cyd-destun y Ddameg

Nid annerch y disgyblion yn benodol a wna Iesu wrth adrodd y ddameg hon, ond ymateb i'r grwgnach ymhlith y Phariseaid a'r ysgrifenyddion ei fod yn rhoi gormod o amser a sylw i 'bechaduriaid', a hyd yn oed yn cydfwyta â hwy. Roedd y gair 'pechaduriaid' yn ddisgrifiad swyddogol o ddosbarth arbennig o bobl a ystyrid gan y Phariseaid fel rhai nad oeddynt yn ufuddhau i ofynion y Gyfraith nac yn cadw deddfau a defodau crefydd gyda'r manylder a ddisgwylid oddi wrth Iddewon duwiolfrydig. O ganlyniad, codwyd ffin bendant rhyngddynt a'r fath bobl annuwiol. Gwaharddwyd pob Pharisead rhag cyfathrebu mewn unrhyw fodd â phechaduriaid. Ni chaniateid benthyg arian iddynt, na phrynu dim oddi wrthynt, na gwerthu dim iddynt, na chydgerdded â hwy ar daith, na'u derbyn yn westeion i'w tai, ac yn sicr ni ddylent gydfwyta â hwy. Byddai unrhyw gysylltiad â phobl o'r fath, fel y byddai cysylltiad â chenedl-ddynion, yn halogi'r Pharisead duwiol ac yn ei wneud yn aflan yng ngolwg Duw. Roedd ymddygiad Iesu *'yn croesawu pechaduriaid ac yn cydfwyta gyda hwy'* (adn. 2) nid yn unig yn amharchus ond yn gwbl groes i reolau ac arferion Iddewiaeth uniongred. Ni ellir deall ergyd y ddameg hon heb ddeall agwedd galed, lem ac annioddefgar y Phariseaid a'r ysgrifenyddion tuag at 'bechaduriaid'. Roedd gweld Iesu yn cyfeillachu â rhai a ystyrient yn wehilion cymdeithas yn ddigon drwg, ond byddai ergyd y ddameg yn eu cynddeiriogi'n fwy. Tra oedd y Phariseaid a'r ysgrifenyddion yn condemnio ac yn dilorni 'pechaduriaid', rhoddai Iesu werth arbennig iddynt.

Y Bugail ym Mhalestina

Wrth astudio'r ddameg hon dylid cadw mewn cof ddarlun Iesu ohono'i hun fel y Bugail Da sy'n gofalu'n dyner am ei braidd ac yn adnabod pob dafad wrth ei henw (Ioan 10: 1–18). Er mor gyfarwydd oedd bugeiliaid ym Mhalestina yn amser Iesu, tueddai'r awdurdodau crefyddol i'w dirmygu. Oherwydd natur ac amgylchiadau eu gwaith yr oedd yn amhosibl iddynt gadw at reolau manwl y Gyfraith, amserau gweddi a seremonïau ymolchi ac ymprydio. O ganlyniad, fe'u hystyrid yn grefyddol israddol. Y mae'n bosibl i ninnau hefyd fod â darlun camarweiniol, sentimental o'r bugail dwyreiniol. Roedd natur ei waith yn gofyn iddo fod yn gryf, yn ddewr, yn barod i fyw a chysgu yn yr awyr agored, i ymladd yn erbyn anifeiliaid rheibus ac i fentro i leoedd peryglus i gasglu ei braidd ynghyd. Prif offer y bugail oedd gwialen a ffon. Defnyddid y *wialen* i gerdded ac i ddal ambell ddafad a grwydrai oddi wrth y ddiadell. Gyda'r nos, wrth i'r ddiadell fynd i mewn i'r gorlan, byddai'r bugail yn dal ei wialen ar draws y fynedfa fel y gallai sylwi ar bob dafad unigol a gweld a oedd unrhyw un ohonynt wedi cael niwed. Dyna yw ystyr geiriau Duw wrth bobl Israel yn Eseciel: *'Gwnaf i chwi fynd heibio o dan y wialen'* (Esec. 20: 37). Fel y gofala'r bugail am ei ddefaid, felly y gofala Duw am ei bobl.

Y *ffon* oedd arf y bugail – math o bastwn i amddiffyn ei braidd rhag ymosodiad gan ladron neu anifeiliaid gwylltion. Anaml y cedwid defaid i'w lladd, ond yn bennaf er mwyn eu gwlân, gyda'r canlyniad y byddai rhai defaid yn y ddiadell am wyth i naw mlynedd. Byddai bugail felly yn dod i adnabod y defaid yn unigol ac wrth eu henwau. Meddai Iesu amdano'i hun: *'yr wyf yn adnabod fy nefaid a'm defaid yn f'adnabod i'* (Ioan 10: 14). Arwain ei ddefaid, nid eu gyrru, a wnâi bugail yn y Dwyrain, a phe digwyddai i ladron neu fwystfilod ymosod arnynt y bugail fyddai'n wynebu'r perygl. Roedd yn barod i roi ei einioes dros ei ddefaid. Felly y mae efo Duw, meddai Iesu. Yn wahanol i'r Phariseaid a'u tebyg sy'n bodloni ar ladd ar y 'pechaduriaid' ond heb wneud dim i geisio'u hadfer, y mae Duw, fel bugail dewr a thyner, yn mentro i leoedd geirwon i chwilio amdanynt – fel y gwelir ym mywyd a marwolaeth Iesu Grist, y Bugail Da.

Cenadwri'r Ddameg

Amcan canolog y ddameg hon yw dangos sut un yw Duw yn ei berthynas â chasglwyr trethi a phechaduriaid. Y mae Duw nid yn unig yn eu derbyn ond yn chwilio amdanynt ac yn dymuno eu dwyn i gymdeithas ag ef ei hun. Y mae esiampl ac ymddygiad Iesu yn adlewyrchu hynny: 'Yr oedd yr holl gasglwyr trethi a'r pechaduriaid yn nesáu ato i wrando arno' (adn. 1). Y patrwm i Iesu ac i ninnau yw Duw yn chwilio am y pechadur fel bugail yn chwilio am ddafad a aeth ar goll, ac yna'n llawenhau yn fawr wedi iddo'i chanfod a'i hadfer i'r gorlan. Ymhlyg yn y genadwri ganolog hon y mae rhai pwyntiau y mae'n werth sylwi arnynt.

Yn gyntaf, gwerth yr unigolyn. Roedd y bugail yn barod i fentro'i fywyd i chwilio am un ddafad am fod pob un yn werthfawr yn ei olwg. Fel y mae pob dafad yn bwysig i'r bugail, y mae pob creadur byw yn bwysig i Dduw. Mewn oes faterol fel hon gyda'r bri a roddir ar ryfeddodau technoleg, darganfyddiadau gwyddonol a meddygol, llwyddiant economaidd, a'r ysfa am safon uwch o fyw, mor hawdd yw anghofio'r trueiniaid yng ngwledydd tlawd y byd nad ydynt yn cael rhannu ym manteision materol y Gorllewin goludog. A'r rheswm y cânt eu hanghofio yw am nad ydym ni, mwy na Phariseaid dyddiau Iesu, yn credu fod iddynt werth cynhenid fel bodau dynol ac fel plant i Dduw. Ac eto fe wyddom fod gwerth na ellir ei fesur mewn arian. Byddai tad yn barod i gyfnewid ei gyfoeth a'i fuddsoddiadau i gyd am fywyd ei blentyn. Cariad sy'n rhoi gwerth i fywyd. A neges Iesu yw fod Duw yn caru pob un o'i blant – hyd yn oed y rhai a ystyrir yn ddiwerth ac yn wrthodedig gan y Phariseaid – ac felly fod pob un yn werthfawr yn ei olwg. Meddai Awstin Sant, 'Y mae'n ein caru fel pe bai ond un ohonom i'w garu'.

Yn ail, ffolineb y crwydro. Yn ôl y Beibl, y mae dyn yn debycach i ddafad nag i'r un creadur arall. Meddai Eseia: 'Rydym i gyd wedi crwydro fel defaid, pob un yn troi i'w ffordd ei hun' (Es. 53: 6). 'Euthum ar gyfeiliorn fel dafad ar goll,' meddai'r Salmydd (Salm 119: 176). A gwelodd Iesu dyrfa fawr, 'a thosturiodd wrthynt am eu bod fel defaid heb fugail' (Marc 6: 34). Mynd ar gyfeiliorn y mae'r sawl sy'n troi cefn ar Dduw ac yn pellhau oddi wrtho. Nid yw'r ddafad yn fwriadol yn crwydro o'r ddiadell. Diofalwch a ffwlbri sydd bennaf cyfrifol ei bod yn mynd ar gyfeiliorn. Ac esgeulustod a diofalwch sy'n bennaf cyfrifol fod dyn yn mynd ar gyfeiliorn yn ysbrydol. Nid yw o angenrheidrwydd yn gwneud dewis bwriadol i ymwrthod â Duw. Yn hytrach y mae'n cilio'n raddol, yn llithro i ddifaterwch, yn peidio â gweddïo, ac ymhen hir a hwyr yn ei gael ei hun ar goll. Ac nid yw'r ddafad grwydrol yn medru canfod y ffordd yn ôl. Pan â hi ar goll, ofer disgwyl iddi ddychwelyd ohoni'i hun. Rhaid mynd i chwilio amdani.

Yn drydydd, *dyfalwch y chwilio.* Y peth mwyaf naturiol yw i ddyn a gollodd ddafad fynd i chwilio amdani. Ac fe â am y rheswm syml ei bod ar goll ac am na fedr anghofio amdani. Un felly yw Duw yn ei berthynas â phechaduriaid. Mae'r bugail yn mynd i chwilio am y ddafad golledig *ei hun,* ac yn ei chario adref ar ei ysgwyddau *ei hun.* Nid yw'n gyrru rhywun arall yn ei le ond yn mynd ei hun i'r anialwch. Dyna'n union a wnaeth Duw yn Iesu Grist, sef dod ei hun i ganol anialwch y byd i geisio ac i gadw'r colledig. Hyn sy'n gwneud yr efengyl Gristnogol yn wahanol i bob dysgeidiaeth grefyddol arall. Nid cynorthwyo pobl i chwilio am Dduw yw amcan yr efengyl, ond datgan fod Duw yn Iesu Grist yn chwilio amdanom ni. Yn ymwneud Duw â'i bobl ac â'i fyd, ef sy'n cymryd y cam cyntaf yn adferiad y colledig. Nid Duw pell, dihidio mohono, ac nid Duw sy'n bodloni ar gollfarnu pechaduriaid fel y gwnâi'r Phariseaid, ond Duw sy'n chwilio am bobl wrthodedig ac annerbyniol, gan eu dwyn yn ôl i gymdeithas ag ef ei hun. *'Hynny yw,'* meddai Paul, *'yr oedd Duw yng Nghrist yn cymodi'r byd ag ef ei hun, heb ddal neb yn gyfrifol am ei droseddau'* (2 Cor. 5: 19).

Yn bedwerydd, *llawenydd y darganfod.* Dyma brif ergyd y ddameg yn ôl rhai esbonwyr: gwrthgyferbynnu llawenydd y canfod â grwgnach pitw y Phariseaid a'r ysgrifenyddion. Trawsnewidiwyd trychineb colli'r ddafad gan orfoledd ei darganfod. *'Wedi dod o hyd iddi y mae'n ei gosod ar ei ysgwyddau yn llawen'* (adn. 5). Nid baich mohoni bellach ond achos llawenhau i'r bugail a'i gyfeillion. Gellir dychmygu'r Phariseaid yn gwingo o glywed y geiriau, *'Bydd mwy o lawenydd yn y nef am un pechadur sy'n edifarhau nag am naw deg a naw o rai cyfiawn nad oes arnynt angen edifeirwch'* (adn. 7). Nid eu hymdrechion hunangyfiawn a sychdduwiol hwy i ymgyrraedd at berffeithrwydd sy'n peri llawenydd yn y nef, ond yn hytrach ymateb yr enaid crwydredig i ras a chariad y Duw sy'n chwilio amdano ac yn ceisio'i ennill yn ôl.

Y Bugail mwyn o'r nef a ddaeth i lawr
i geisio'i braidd drwy'r erchyll anial mawr ...

Cwestiynau i'w trafod:
1. Beth, yn ôl y ddameg hon, yw nodweddion y bugail?

2. A yw'n wir dweud mai'r efengyl Gristnogol sy'n dysgu bod i bob unigolyn werth?

3. 'Y mae ymchwil Duw am ddyn yn rhagflaenu ymchwil dyn am Dduw.' A ydych yn cytuno?

Y DARN ARIAN COLLEDIG

Luc 15: 8–10

Profiad chwithig ac annifyr yw colli rhywbeth gwerthfawr. Fe ŵyr pob un ohonom am y diflastod o golli arian, neu allweddi, neu ffôn symudol, neu waled, neu rywbeth arall o werth. Byddai'n fil gwell gennym roi na cholli. Y mae'n bur debyg i Iesu weld rhywbeth tebyg yn digwydd yn ei gartref ei hun – ei fam yn colli darn o arian ac yn mynd ati i chwilio'n ddyfal amdano. Y mae'r ddameg hon a Dameg y Ddafad Golledig (adn. 1–7) yn perthyn i'w gilydd ac yn hynod debyg o ran eu cynnwys a'u neges. Mae'r colli, y chwilio a llawenydd y canfod yn elfennau cyffredin yn y ddwy. A'r un yw cenadwri'r ddwy, sef bod Duw yn chwilio am y pechadur colledig. Fel yr â'r bugail i chwilio am y ddafad, fe â'r wraig ati i ysgubo'r tŷ ac i chwilio'n fanwl am y darn arian.

Llefarwyd y ddameg hon fel Dameg y Ddafad Golledig mewn ateb i gŵynion y Phariseaid a'r ysgrifenyddion oedd yn collfarnu Iesu am groesawu pechaduriaid a chyfeillachu â hwy. Fel yr oedd pob dafad unigol yn bwysig i'r bugail a phob darn arian yn bwysig i'r wraig, y mae pob person, hyd yn oed y sawl a ystyrid yn 'bechadur' gan y Phariseaid, yn werthfawr yng ngolwg Duw.

Tŷ ym Mhalestina

Ceir darlun byw o'r sefyllfa mewn ychydig eiriau cryno. Mae'r wraig yn cynnau cannwyll ac yn ysgubo'r tŷ yn ei hymchwil am y darn arian. Cyfyng a thywyll oedd tai ym Mhalestina yn nyddiau Iesu, gydag un ffenestr yn unig, tua deunaw modfedd o hyd, i roi ychydig o oleuni. Pridd caled fyddai'r llawr a hwnnw wedi ei orchuddio â gwellt a rhedyn. Byddai'r brws o ddail palmwydd. Anodd iawn fyddai cael hyd i ddarn arian o dan y fath amgylchiadau. Byddai gwraig y tŷ yn symud hynny o ddodrefn a phiseri oedd ganddi a chyda'r brws yn symud rhywfaint ar y gorchudd ar y llawr yn y gobaith y gwelai fflach o arian yn gymysg â'r gwellt.

Byddai darn arian, neu *drachma,* yn cyfateb i gyflog diwrnod. Ergyd difrifol fyddai colli cymaint â hynny, yn enwedig i deulu tlawd. Roedd y darn arian yn werthfawr fel *arian.* Ond y mae'n bosibl hefyd fod iddo werth sentimental a'i fod yn un o ddeg o ddarnau arian mewn cadwyn neu neclis. Un o arferion priodasol y cyfnod oedd i ferch gynilo i brynu, neu i dderbyn fel anrheg, ddeg darn arian i'w llunio'n ddolenni i'w gwisgo ar draws ei thalcen ar ddydd ei phriodas. Ystyrid y gadwyn yn gysegredig, yn eiddo llwyr i'r wraig ac yn arwydd sicr ei bod yn wraig briod – yn cyfateb i fodrwy briodas heddiw. Ni allai neb gymryd y gadwyn oddi arni, hyd yn oed i dalu dyled. Os oedd y darn arian coll yn un o ddeg darn arian mewn cadwyn, yr oedd iddo werth cwbl arbennig.

Gwerth yr enaid dynol yw neges y ddameg. Er bod gan y wraig naw darn arian arall, fe aeth i drafferth di-ben-draw i *'chwilio'n ddyfal nes dod o hyd iddo'* (adn. 8). Prawf oedd hyn o'i werth arbennig yn ei golwg. Ni wnâi un o'r lleill y tro yn ei le. Roedd rhaid dod o hyd i'r un darn arian hwn.

Dau Fath o Golli

Y mae dau wahaniaeth rhwng Dameg y Ddafad Golledig a Dameg y Darn Arian Colledig. I ddechrau, mae'r *colli* yn wahanol. Mynd ar grwydr y mae'r ddafad ac yna'n ei chael ei hun wedi ei gwahanu oddi wrth y ddiadell a methu canfod ei ffordd yn ôl. Mynd ar gyfeiliorn oherwydd ei ffolineb neu ei natur wrthnysig ei hun a wna'r enaid colledig. Ond disgyn trwy ddwylo a wna'r darn arian. Nid ar y darn arian y mae'r bai ei fod ar goll ond ar ddiofalwch ei berchennog. Mae'n debyg fod llawer o'r pechaduriaid a'r casglwyr trethi wedi eu cael eu hunain mewn cyfyng-gyngor oherwydd amgylchiadau anffafriol neu ddylanwad niweidiol pobl eraill. Sawl person ifanc sy'n mynd ar gyfeiliorn oherwydd magwraeth wael, rhieni creulon ac anghyfrifol, effeithiau cyffuriau neu gwmni drwg? Sawl un aeth ar goll oherwydd dylanwad amgylchfyd, etifeddeg neu amddifadrwydd: llithro drwy ddwylo ein cymdeithas galed a dihidio? Trodd Oliver Twist yn lleidr, nid o'i ddewis ei hun, ond oherwydd iddo gael ei hudo i gwmni troseddwyr. Gwelwn ganlyniadau drygioni yn disgyn yn drymach yn aml ar y diniwed nag ar y drwgweithredwr ei hun: tad yn garcharor a'i deulu'n byw o dan gysgod cywilydd; mam yn alcoholig a'i phlant yn dioddef effeithiau hynny. Droeon a thro bydd pobl yn mynd ar goll oherwydd iddynt ddisgyn drwy ddwylo eraill – rhieni, athrawon, gweithwyr cymdeithasol, yr heddlu, swyddogion prawf – ac yn mynd ar goll yng nghorneli tywyll cymdeithas. Ond ar goll neu beidio, y maent yn werthfawr yng ngolwg Duw ac y mae ef yn dymuno eu hadfer a'u hachub.

Dau Fath o Chwilio

Aeth y bugail allan i'r anialwch er mwyn ceisio'r ddafad golledig a bu'n chwilio a chrwydro a dringo i leoedd peryglus, geirwon, cyn ei chael. Ond goleuo cannwyll a wnaeth y wraig, symud dodrefn, ysgubo'r llawr, nes bod y tŷ â'i draed i fyny, fel pe bai corwynt wedi chwythu drwyddo. Er bod tai heddiw a'u dodrefn yn bur wahanol i'r tŷ sydd yn y ddameg, mae'r digwyddiad a ddisgrifir yn gyfarwydd inni i gyd. Fe wyddom yn dda am y profiad o golli rhywbeth yn y tŷ – y cyffro, y cynnwrf a'r tryblith o symud dodrefn, archwilio corneli a chypyrddau ac agor a gwagu droriau. Dyna sy'n digwydd, meddai Iesu, pan fydd Duw yn chwilio am enaid colledig. Yn aml iawn, yng nghhynyrfiadau a helyntion bywyd y bydd ef yn ein ceisio. Daw atom i ganol llwch a llanastr bywyd, yr anhrefn a'r annibendod, i afael ynom yn ei gariad, i'n codi, i'n hachub ac i adfer ein hurddas.

Trwy gynyrfiadau nerthol y mae Duw wedi ceisio'i bobl erioed. Ar y Pentecost cyntaf clywyd yr ysgubell ddwyfol yn symud mewn gwynt a thafodau tân yn yr oruwchystafell wrth i Ysbryd Duw ddod i chwilio am ei bobl. Cyhuddwyd y rhai fu'n ymgyrchu i ryddhau caethion o aflonyddu ar y drefn a tharfu ar lonyddwch a sefydlogrwydd cymdeithas. Ond heb i wŷr fel Wilberforce, Shaftesbury ac Abraham Lincoln greu cyffro a phrotest ac anniddigrwydd, ni fyddai caethion wedi eu rhyddhau.Cyhuddwyd y diwygwyr Methodistaidd yn y ddeunawfed ganrif o aflonyddu ar sefydlogrwydd y drefn eglwysig a chymdeithasol ac erlidiwyd llawer ohonynt o'r herwydd. Ond gwyddom heddiw mai Duw oedd ar waith yn goleuo cannwyll ac yn ysgubo drwy Gymru yn chwilio am ei blant.

A thrwy gynyrfiadau bywydau personol pobl – afiechyd, siomedigaeth, methiant, profedigaeth a gofid – y daw Duw i geisio eneidiau coll. Yn yr ergydion sy'n chwalu cydbwysedd a llonyddwch bywyd y mae'r ysgubell ddwyfol ar waith yn chwilio am y bywydau sydd wedi llithro i'r llaid a'u sathru dan draed – bywydau sydd o werth amhrisiadwy yng ngolwg Duw. Dyna'r profiad a fynegwyd yn gofiadwy gan Moelwyn:

Fe all mai'r storom fawr ei grym
A ddaw â'r pethau gorau im ...

O ganol profiad o golled a thristwch y cyfansoddodd George Matheson ei emyn mawr (a gyfieithwyd i'r Gymraeg gan D. Tecwyn Evans), 'O gariad na'm gollyngi i'. Ynddo ceir y geiriau, 'O wynfyd pur a'm cais drwy fraw ...' Hwn yw'r cariad sy'n ceisio'r rhai sydd yng nghanol stormydd bywyd.

Fel yn Nameg y Ddafad Golledig, *Duw* sy'n chwilio am y pechadur coll. Nid ymchwil dyn am Dduw a geir yn yr efengyl Gristnogol, ond ymchwil Duw am ddyn. Ni allai'r darn arian fod wedi canfod ei ffordd ei hun yn ôl i'r gadwyn y disgynnodd ohoni. Roedd rhaid i wraig y tŷ chwilio'n ddyfal amdano. Fel yna y mae Duw hefyd yn gweithredu. Yn wahanol i'r Phariseaid a'r ysgrifenyddion, nid cadw'i bellter oddi wrth wŷr a gwragedd colledig a gwrthodedig a wna, ond mynd i chwilio amdanynt i'w dwyn yn ôl i gymdeithas ag ef ei hun. Nid yw ei gariad tragwyddol yn aros i'r colledig ddychwelyd ohono'i hun; ef sy'n cymryd y cam cyntaf tuag at ei ganfod a'i adfer.

Llawenhewch gyda Mi

Gwahoddodd gwraig y tŷ *'ei chyfeillesau a'i chymdogion'* (adn. 9) i ymuno â hi i ddathlu a llawenhau oherwydd iddi gael hyd i'w darn arian coll. Yn yr un modd, meddai Iesu, y mae llawenydd yn y nefoedd pan yw un pechadur yn cael ei ddwyn yn ôl i gymod â Duw.

Nodir bod yr angylion yn ymuno yn y dathlu. Y mae llawenydd Duw yn llenwi'r nefoedd ac yn gorlifo i'w eglwys ac i fywydau ei bobl. Yn wahanol i'r Phariseaid sych a syber, y mae dilynwyr Crist i ddathlu eu ffydd mewn gorfoledd. Ond y mae perygl i'n crefydd ninnau fod yn lleddf, yn wynepdrist ac yn ddi-hwyl oherwydd inni golli golwg ar lawenydd Duw. Bu tuedd mewn diwinyddiaeth Gristnogol i bwysleisio rhyddid Duw oddi wrth bob emosiwn a theimlad. Ond nid gwaredwr nad yw'n cyd-ddioddef â'i greaduriaid ac nad yw'n llawenhau yn eu hadferiad yw Duw. Ac yn sicr y mae'r fath syniad o Dduw yn gwbl groes i'r darluniau a geir ohono yn y tair dameg yn y bennod hon – y bugail sy'n llawenhau o ganfod ei ddafad golledig, y wraig sy'n llawenhau o ddarganfod ei darn arian coll, a'r tad sy'n llawenhau o gael ei fab afradlon yn ôl adref. A Duw yw hwn sy'n gwahodd ei angylion a'i saint, ar y ddaear ac yn y nef, i rannu yn y llawenydd hwnnw.

Cwestiynau i'w trafod:

1. A yw'n wir dweud fod rhai pobl yn mynd ar gyfeiliorn, nid oherwydd eu pechodau a'u camgymeriadau eu hunain, ond oherwydd amgylchiadau neu ddylanwad drwg pobl eraill?

2. A ydych yn cytuno y gall Duw ddefnyddio cynyrfiadau a phrofiadau anodd bywyd i ddwyn rhai yn ôl ato ef ei hun?

3. Os yw llawenydd Duw yn adferiad ei blant yn gorlifo i'r ddaear a'r nef, sut ddylai'r eglwys fynegi'r llawenydd hwnnw yn ei bywyd a'i haddoliad?

Y MAB COLLEDIG

Luc 15: 11–24

Stori am bwy yw'r ddameg hon? Er mai fel Dameg y Mab Afradlon yr adwaenir hi ar lafar, dadleuodd Joachim Jeremias mai'r tad yw'r prif gymeriad: 'Y tad, nid y mab sy'n dychwelyd, yw'r person canolog. Mae'r ddameg yn disgrifio gyda symlrwydd sy'n cyffwrdd â'r galon sut un yw Duw, ei ddaioni, ei ras a'i gariad diderfyn.' Teitl pregeth enwog Helmut Thielicke (a theitl ei gyfrol o bregethau ar y damhegion) yw *The Waiting Father.* Darlunnir Duw fel tad tyner a maddeugar yn dyheu am weld ei fab colledig yn dychwelyd adref. Wedi iddo ddychwelyd, mynega ei faddeuant a'i lawenydd trwy alw ar ei weision i wisgo'i fab â gwisg newydd, i roi esgidiau ar ei draed a modrwy ar ei fys ac i baratoi gwledd i'w groesawu'n ôl.

Perthynas y Tad â'i Feibion

Yn narlun enwog Rembrandt *Dychweliad y Mab Afradlon,* y ffigur amlycaf yw'r tad. Gwelir y mab yn ei garpiau ar ei liniau o flaen ei dad, a'r tad a'i ddwylo ar ysgwyddau ei fab yn ei ddal at ei fynwes. Ar y dde i'r darlun gwelir y mab hynaf yn gwylio'n filain eiddigeddus a ffigurau eraill mwy annelwig yn y cefndir yn syllu'n syn ar yr olygfa. Mae ffocws y darlun ar y tad. Ond nid yw'r stori'n canolbwyntio ar y tad a'r mab ieuengaf yn unig. Mae gan y mab hynaf ran hollbwysig yn neges y ddameg. Fel y mae perthynas y mab ieuengaf â'i dad yn adlewyrchiad o berthynas pechaduriaid â Duw trwy Iesu Grist, y mae ymateb grwgnachlyd y mab hynaf yn adlewyrchu perthynas y Phariseaid ag Iesu. Diben y ddameg yw nid yn unig cyhoeddi maddeuant hael Duw i afradloniaid a'i awydd i'w croesawu'n ôl ato'i hun, ond hefyd fynegi dymuniad Duw i Iddewon parchus hunangyfiawn ymuno yn llawenydd Duw yn adferiad pechaduriaid. Felly, nid stori am y tad yn unig sydd yma, na stori ychwaith am y ddau fab yn unig, ond stori am berthynas y meibion â'u tad a pherthynas y tad â hwy, a hynny'n ddrych o'u perthynas â Duw.

Cael a Cholli

Cais y mab ieuengaf yw, *'Fy nhad, dyro imi'r gyfran o'th ystad sydd i ddod imi'* (adn. 12). O dan y ddeddf Iddewig nid oedd hawl gan dad i adael ei eiddo i neb ond ei feibion. Yr oedd rheidrwydd arno i adael dwy ran o dair o'i ystad i'w fab hynaf ac un rhan o dair i'w fab ieuengaf (Deut. 21: 17). Nid peth anghyffredin oedd i dad rannu ei eiddo rhwng ei feibion cyn iddo farw. Er hynny, y mae elfen galon-galed ac anghwrtais yng nghais y mab ieuengaf. Ond nid yw'r tad yn ei wrthod nac yn ceisio'i ddarbwyllo. O fewn ychydig ddyddiau y mae'r mab wedi cyfnewid y cyfan – ei eiddo, ei diroedd a'i dlysau am arian ac wedi ymfudo i wlad bell. Wedi cael ei ddymuniad, ei arian, ei annibyniaeth, a'i ryddid, y mae'n tybio y bydd bywyd o hynny ymlaen yn bêr. Wedi diosg hualau ei gyfrifoldebau a'i ddyletswyddau i'w dad a'i gartref mae ei ryddid newydd, ei ysbryd anturus a'i ysfa am fwynhad yn ei gymell i wlad bell – pell oddi wrth ddisgyblaeth ei dad, oddi wrth agwedd hunangyfiawn ei frawd hŷn, oddi wrth ddiflastod gwaith bob dydd, oddi wrth ofynion y gyfraith, ac oddi wrth gonfensiynau parchusrwydd.

Wedi cyrraedd y wlad bell, *'yno gwastraffodd ei eiddo ar fyw'n afradlon'* (adn. 13). O fewn amser byr yr oedd wedi gwario'r cyfan. Ac o golli ei gyfoeth fe gollodd bopeth arall – ei gyfeillion, ei ryddid, ei urddas, ac yn fwy na dim fe gollodd ei gymeriad. Yn hanes a phrofiad y mab afradlon hwn gwelwn beth yw ystyr bod yn 'golledig'. Bod yn golledig yw meddwl am yr hunan yn fwy nag am eraill, cael yn hytrach na rhoi, casglu pethau materol, pentyrru arian yn hytrach na chasglu trysorau ysbrydol. Bod yn golledig yw troi cefn ar y da a'r rhinweddol – ar gartref a chariad a gofal – a mynd yn anfoddog ac anniolchgar gan ddychmygu fod y wlad bell yn amgenach na thŷ ei dad. Bod yn golledig yw rhoi rhaff i nwydau a chwantau'r corff ac ymwrthod â safonau moesol ac ysbrydol. Bod yn golledig yw colli rheolaeth ar yr hunan, mynd yn llai na dyn, mynd yn ddiwerth i gymdeithas a cholli golwg ar Dduw.

Edifarhau a Throi am Adref

Pen draw dirywiad y mab afradlon yw iddo ddisgyn i lefel yr anifeiliaid. Anfonwyd ef i'r caeau i ofalu am foch. Dyma'r un a gredai ei fod yn rhydd i ddewis drosto'i hun bellach yn cael ei *anfon*. Mae ei ryddid wedi troi yn warth. Beth allai fod yn fwy gwrthun na gwarchod moch –

yr anifeiliaid aflanaf yng ngolwg yr Iddew? Y mae hyd yn oed yn cenfigennu wrth y moch a oedd yn cael rhyw fath o fwyd, 'ond nid oedd neb yn cynnig dim iddo' (adn. 16). Wedi iddo gyrraedd y gwaelod isaf cofiodd am ei gartref, sylweddolodd y gallai pethau fod yn wahanol, a bod gan ei dad rywbeth gwell ar ei gyfer. Dyna'r cam cyntaf yn y broses o edifarhau: sylweddoli pa mor enbyd yw ei gyflwr, nad yw fel ef ei hun yn y wlad bell. Pa mor bell bynnag y mae dyn yn crwydro o dŷ ei dad, pa mor ffôl ac anghyfrifol bynnag yw ei ymddygiad, pa mor ddwfn bynnag y mae'n syrthio i bechod, nid yw'n dinistrio'r ddelw nefol sydd ynddo. Mae'r gallu ganddo o hyd i ddod ato'i hun. Ei benderfyniad yw mynd yn ôl adref a chrefu'n ostyngedig am gael ei le yno, nid fel mab – nid yw'n haeddu'r teitl hwnnw bellach – ond fel gwas cyflog, neu fel caethwas cyffredin. Yn wahanol i'r dyn ifanc, hyderus a aeth allan i herio'r byd, daw yn ôl yn ostyngedig ac edifeiriol. Ac yntau eto ymhell i ffwrdd, mae ei dad yn ei weld yn dod ac yn rhedeg i'w gyfarfod yn ei lawenydd.

Nid yw'r mab afradlon yn cael cyfle i orffen y gyffes edifeiriol a baratôdd cyn i'w dad roi ei freichiau amdano a'i gusanu a rhoi cyfarwyddyd i'r gweision i baratoi gwledd i'w groesawu adref. Mae'r ffaith nad yw'n cael amser i leisio'i edifeirwch yn cyfleu neges ganolog y ddameg, sef bod Duw yn maddau ac yn derbyn yr afradlon yn ôl yn llawen *hyd yn oed cyn iddo edifarhau*. Dyma gariad sy'n gallu anghofio pob ystyriaeth heblaw tosturio. Dyma gariad nad yw'n cyfrif pechodau cyn eu maddau. Dyma gariad sy'n maddau cyn i'r afradlon ddweud ei stori, ac nid yw'n newid ar ôl iddo'i dweud. Er i'r mab droi ei gefn ar dŷ ei dad, ni throdd y tad ei wyneb oddi wrth ei fab. Y mae gras a thrugaredd Duw yn rhagflaenu euogrwydd ac edifeirwch dyn. Nid *amod* maddeuant yw edifeirwch ond *canlyniad* edifeirwch.

Arwyddion Adferiad

Yn ei gyfrol *A Story of Homecoming,* sy'n seiliedig ar y ddameg hon a dehongliad Rembrandt ohoni, y mae Henri Nouwen yn mynnu mai hanfod y profiad ysbrydol yw dod adref – adref at Dduw, o wlad bell ein huchelgeisiau bydol, ein hobsesiwn â chyfoeth materol, ein hawydd am glod a sylw a phoblogrwydd, a chydnabod ein bod yn dlawd, yn unig ac yn druenus ein cyflwr. I'r graddau y mae person yn dod yn ôl i dŷ ei Dad y mae'n canfod ei ddyndod a'i urddas. Yn y ddameg y mae'r tad yn derbyn y mab yn ôl heb ei feio am ei ffolineb, heb edliw iddo am wastraffu ei eiddo, heb ei gystwyo am ei afradlonedd. Ond y mae'r maddeuant dwyfol yn fwy na mater o anghofio'r afradlonedd, y ffolineb a'r gwastraff. Y mae'n codi person ar ei draed, yn adfywio'i ddyndod ac yn adfer ei urddas. Mynegir hyn gan y rhoddion a gyflwynir i'r mab. Er bod rhaid gwylio rhag alegorïo'r rhoddion, y mae iddynt arwyddocâd symbolaidd amlwg.

Fe'i dilladwyd â'r *wisg* orau. Rhoddir gwisg lân, newydd amdano yn lle carpiau budron ei warth a'i ffolineb. Symbol o burdeb a daioni yw gwisg newydd yn y Beibl. Cawn yr Apostol Paul yn sôn am ddiosg yr hen ddyn a gwisgo amdanom y dyn newydd yng Nghrist: '*y natur ddynol newydd sydd wedi ei chreu ar ddelw Duw*' (Eff. 4: 24).

Rhoddwyd *modrwy* ar ei fys – arwydd o awdurdod, urddas a statws, ond yn bwysicach na dim, arwydd o berthynas. Mae rhodd y tad yn arwyddo adfer statws y mab, a sefydlu perthynas newydd rhyngddynt fel tad a mab. Perthynas bersonol agos â Duw yw hanfod ac amod adferiad yr enaid.

Rhoddwyd *sandalau* am ei draed. Caethweision a gerddai yn droednoeth. Mynegir hynny yn hen gân y caethion, '*All of God's chillun got shoes*'. Wrth roi sandalau am ei draed mae'r tad yn arwyddo ei fod yn ei dderbyn yn ôl, nid fel gwas cyflog fel y disgwyliai, ond fel mab. I ni y mae esgidiau yn cynrychioli adnoddau ar gyfer taith bywyd. Wedi i berson ddychwelyd at Dduw a chael ei dderbyn ganddo yn ei gariad a'i faddeuant, y mae Duw yn darparu'r adnoddau sydd eu hangen arno i fyw bywyd yn llawn ac yn gyfrifol ac i gyfarfod â holl brofiadau'r daith, pa mor ddyrys bynnag y bônt.

Rhoddir gorchymyn i baratoi *gwledd* i ddathlu a chydlawenhau oherwydd bod y mab, y tybid ei fod wedi marw, yn fyw, ac oherwydd bod yr un fu ar goll wedi dychwelyd. Mae Iesu am i'r Phariseaid ddeall mai dathlu a chydlawenhau yw'r darlun gorau o hanfod teyrnas Dduw.

Duw yw'r hwn sy'n gwahodd ei bobl i gydlawenhau ag ef, i rannu yn llawenydd y nefoedd, nid yn unig pan yw eneidiau coll yn troi am adref, ond wrth edrych yn ddiolchgar ar fywyd a medru gwerthfawrogi popeth a dderbynnir ac a fwynheir oddi ar law Duw. Mae'r tair dameg –

y Ddafad Golledig, y Darn Arian Colledig a'r Mab Colledig, i gyd yn diweddu gyda gwahoddiad Duw i ddathlu a llawenhau gydag ef.

Yr hyn a synnodd C. S. Lewis ar ôl ei dröedigaeth oedd ei fod yn teimlo'r fath lawenydd: nid un profiad ysgytwol o lawenydd, ond canfod dawn i edrych ar fywyd o bersbectif gwahanol a gweld y da a'r hyfryd yn hydreiddio pob peth. Dyna arwyddocâd teitl ei hunangofiant, *Surprised by Joy.* Chafodd neb syrprèis mwy na'r mab afradlon o gael ei groesawu'n ôl gyda'r fath gariad a llawenydd.

Cwestiynau i'w trafod:

1. Yng ngoleuni'r ddameg hon, beth yw ystyr bod yn 'golledig'?

2. Os yw maddeuant Duw yn rhagflaenu edifeirwch dyn, a yw edifeirwch yn angenrheidiol?

3. A yw'n wir dweud mai dathlu a llawenhau yw prif nodweddion bywyd y deyrnas?

Y MAB HYNAF

Luc 15: 25–32

Dameg y Mab Colledig yw'r hiraf o holl ddamhegion Efengyl Luc. Ond nid dameg am y mab ieuengaf yn unig yw hon. Mae gan y mab hynaf yntau ran allweddol yn neges y stori. Fel y mae ymddygiad ffôl ac anghyfrifol y mab ieuengaf yn cynrychioli ymddygiad pechaduriaid yn eu perthynas â Duw trwy Iesu Grist, y mae ymateb grwgnachlyd, anfoddog y mab hynaf yn cynrychioli agwedd y Phariseaid at gasglwyr trethi a phechaduriaid ac ymwneud Iesu Grist â hwy. Yn hanes y mab ieuengaf ceir apêl at yr afradloniaid i ddychwelyd at y Duw cariadus, maddeugar, sy'n llawenhau pan yw ei blant yn troi yn ôl ato. Yn hanes y mab hynaf ceir galwad ar yr Iddewon parchus, yn enwedig Phariseaid ac ysgrifenyddion hunangyfiawn, i ymlawenhau gyda Duw am y pechaduriaid a adferwyd. Heb iddynt ddysgu gwneud hynny nid oes gobaith iddynt ddysgu sut un yw Duw. Felly stori yw hon am y ddau fab yn eu perthynas â'u tad, a'r tad yn ei berthynas â'i feibion, a hynny'n adlewyrchiad o'u perthynas â Duw. Nid y mab ieuengaf yw'r unig un sy'n 'golledig'. Mae cyflwr y mab hynaf, am resymau gwahanol, yr un mor druenus.

Gwrthod Arddel ei Frawd

Yn dilyn gorchymyn y tad trefnir gwledd fawr i groesawu'r mab ieuengaf adref. Daeth y mab hynaf yn ôl o'i waith yn y caeau a chlywed sŵn cerddoriaeth a dawnsio. Wedi clywed oddi wrth un o'r gweision fod ei frawd wedi dychwelyd a bod eu tad wedi gorchymyn lladd y llo oedd wedi ei besgi ar gyfer gwledd enfawr i'w groesawu, yn naturiol ddigon mae'r mab hynaf yn cenfigennu wrth ei frawd. *'Digiodd ef, a gwrthod mynd i mewn'* (adn. 28). Pam y dylai hwn gael y fath sylw gan ei dad ac yntau wedi gwastraffu ei eiddo gyda phuteiniaid? Ceisiodd ei dad ei berswadio i rannu yn ei lawenydd fod ei frawd yn fyw. Er iddo gyflawni ei holl ddyletswyddau tuag at ei dad dros y blynyddoedd, nid oedd yn adnabod ei dad mewn gwirionedd. Nid oedd chwaith yn gallu ymhyfrydu yn ei safle fel y mab hynaf heb edliw ei fod yn cael ei drin fel gwas bach. Roedd ei ymddygiad surbwch yn adlewyrchu agwedd y Phariseaid a'r ysgrifenyddion tuag at bechaduriaid. Y mae'r brawd hwn sydd am gau'r afradlon allan o'r deyrnas ymhellach o'r deyrnas na'r afradlon ei hun. Mae'r ddameg yn ei osod y tu allan i dŷ ei dad: y mae'n *'gwrthod mynd i mewn'*. Yn wir, ni allai fynd i mewn heb ddysgu gostyngeiddrwydd, goddefgarwch a maddeuant. Roedd Iesu am i'r Phariseaid wybod fod Duw yn llawenhau pan oedd pechaduriaid yn edifarhau ac yn profi adferiad, a'i fod am iddynt hwythau gydlawenhau ag ef. Wrth ddathlu yn hytrach na grwgnach fe gaent hwythau flas ar y bywyd newydd a rhannu yng ngorfoledd y deyrnas.

Y Teip Phariseaidd

Mewn gwirionedd y mae *dau* fab colledig yn y ddameg. Yng ngolwg Iesu roedd y Phariseaid lawn cymaint o bechaduriaid â'r rhai a ystyrid ganddynt yn golledig. Gellir nodi pedair o nodweddion y teip Phariseaidd fel y gwelir hwy yn agwedd ac ymddygiad y brawd hynaf.

Yn gyntaf, *y mae'n gwrthod arddel ei berthynas â'i frawd.* Y mae'n gwrthod hyd yn oed ei gydnabod fel brawd iddo: *'Pan ddychwelodd hwn, dy fab ...'* (adn. 30), meddai, wrth sôn amdano wrth ei dad. Un o effeithiau amlycaf yr efengyl yw dwyn pobl i berthynas agos â Duw ac â'i gilydd. Cariad yw Duw yn ei hanfod. *'Y sawl nad yw'n caru, nid yw'n adnabod Duw, oherwydd cariad yw Duw,'* meddai awdur Llythyr Cyntaf Ioan (1 Ioan 4: 8). Yr arwydd amlycaf o gariad at Dduw yw cariad at gyd-ddyn. Ond un o arwyddion amlycaf Phariseaeth yw'r anallu i dderbyn pawb fel brodyr a chwiorydd yng Nghrist. Rhaid codi ffiniau rhwng y cadwedig a'r colledig, rhwng yr uniongred a'r anuniongred, rhwng y 'ni' a 'nhw'. I'r brawd hynaf, y mae amddiffyn parchusrwydd yn bwysicach nag arddel perthynas. O ganlyniad, y mae'n gosod ei hun oddi allan i dŷ ei dad.

Yn ail, *y mae'n tybio ei fod yn haeddu cymeradwyaeth ei dad.* Sail crefydd a buchedd y Phariseaid oedd eu cred y gallent ennill cymeradwyaeth Duw a chael derbyniad i deyrnas nefoedd ar sail eu duwioldeb a'u ffyddlondeb i'r Gyfraith. Yn yr un modd y mae'r mab hynaf yn gweithio er mwyn ennill gwobr. *'Yr holl flynyddoedd hyn bûm yn was bach iti, heb anufuddhau erioed i'th orchymyn'* (adn. 29). Credai

Iddewon uniongred y cyfnod mai amod iachawdwriaeth oedd cadw gofynion y Gyfraith, enwaedu ar wrywod, gwahardd bwyta bwydydd arbennig, a chadw'r Saboth. Nid ar y llwybrau hyn y gorwedd iachawdwriaeth i'r Cristion, ond yn unig drwy ffydd yn Iesu Grist. Hanfod neges Iesu Grist yw na fedr neb ennill ffafr Duw. Nid trwy gadw gorchmynion a chyflawni gofynion a rheolau crefydd y mae canfod llawnder bywyd, ond trwy ostyngeiddrwydd, edifeirwch a ffydd.

Yn drydydd, *y mae'n hunangyfiawn.* Mae'n ei ystyried ei hun yn ddyn da, ac oherwydd hynny mae'n gwrthod croesawu ei frawd ac yn awgrymu na ddylid maddau iddo. Y brawd hwn sy'n ensynio fod ei frawd iau wedi ymddwyn yn anfoesol. Meddai amdano, *'dy fab sydd wedi difa dy eiddo gyda phuteiniaid'* (adn. 30). Nid yw hynny'n rhan o gyffes yr afradlon ei hun. Er mor hunangyfiawn yw'r mab hynaf mae'n amlwg fod ganddo feddwl aflan ac y mae ambell esboniwr wedi awgrymu mai oddi wrtho ef y clywodd y mab ieuengaf am buteiniaid yn y lle cyntaf! Mae eraill wedi awgrymu mai gor-dduwioldeb a snobyddiaeth foesol y brawd hwn a yrrodd ei frawd iau oddi cartref. Y mae math o dduwioldeb hunangyfiawn sy'n ddigon i bellhau pobl oddi wrth grefydd. Dywedodd Iesu wrth y Phariseaid hunangyfiawn: *'Yn wir, rwy'n dweud wrthych fod y casglwyr trethi a'r publicanod yn mynd i mewn i deyrnas Dduw o'ch blaen chwi'* (Math. 21: 31). Problem y person sy'n argyhoeddedig o'i gyfiawnder ei hun yw ei fethiant i weld unrhyw ddiffygion yn ei gymeriad nac i weld unrhyw angen iddo newid. Diffyg mwyaf y teip Phariseaidd yw hunanfodlonrwydd.

Yn bedwerydd, *mae'r mab hwn yn cynrychioli math o ddaioni sy'n atgas.* Y mae dau air yn y Groeg am ddaioni, sef *agathos,* sy'n dynodi daioni moesol, cywir, deddfol, a *kalos,* sy'n dynodi'r math o ddaioni sydd nid yn unig yn ddeddfol gyfiawn ond sydd hefyd yn ddeniadol, yn brydferth ac yn enillgar. Pan ddisgrifiodd Iesu ei hun fel y bugail *da* (Ioan 10: 11), defnyddiodd y gair *kalos* i ddynodi daioni cynnes, atyniadol, prydferth. Meddai William Temple, wrth drafod defnydd Iesu o'r gair, 'The shepherd (is) the beautiful one ...The word for "good" here is one that represents, not the moral rectitude of goodness, nor its austerity, but its attractiveness. We must not forget that our vocation is so to practice virtue that men are won to it; it is possible to be morally upright repulsively.' Daioni atgas yw daioni'r

89

mab hynaf a'r Phariseaid fel ei gilydd. Gwaetha'r modd, y mae cynrychiolwyr y daioni atgas hwn wedi cael gormod o le ac awdurdod o fewn yr eglwys dros y blynyddoedd a'u hagwedd wedi cadw llawer o afradloniaid (a phobl eraill) draw oddi wrthi.

Rhaid Gwledda a Llawenhau

Neges fawr efengyl Iesu Grist yw fod Duw yn croesawu'r pechadur edifeiriol ac yn maddau iddo, a'i fod yn disgwyl i'w bobl wneud yr un modd. Rhaid dysgu gweld pethau fel y mae Duw yn eu gweld – gweld pechaduriaid a chasglwyr trethi fel y gwelai Iesu hwy, sef rhai y mae Duw am eu hennill yn ôl a'u croesawu. Ond y mae'r brawd hwn yn ei chael yn anodd dysgu'r wers hon. Ni all lawenhau o ddeall achos y dathlu a'r gloddesta yn y tŷ. Yn hytrach y mae'n ffromi ac yn digio. Pa ddiben ceisio gwneud ei ddyletswydd yn onest ac ufuddhau i ofynion ei dad os yw oferwyr ac afradloniaid yn cael mwy o sylw a chlod na rhai cyfrifol a chydwybodol? Er i'w dad fynd allan 'a'i gymell yn daer i'r tŷ' (adn. 28), mae'n gwrthod y gwahoddiad ac yn edliw'r driniaeth annheg a gafodd. Bu'n gwasanaethu'n ffyddlon dros y blynyddoedd heb dderbyn y wobr leiaf am hynny. Ond y mae ei frawd, a wastraffodd y cyfan o'i etifeddiaeth, yn cael gwledd fawr i ddathlu ei ddychweliad adref.

Y mae ei dad yn *cymell* y mab hwn i'r tŷ ac yn awgrymu'n garedig iddo edrych ar bethau mewn goleuni gwahanol. Nid yw dychweliad ei frawd yn ymyrryd dim â'i hawl ef i'w etifeddiaeth: *'y mae'r cwbl sydd gennyf yn eiddo i ti'* (adn. 31). Mae'r ddau yn feibion iddo ac yn frodyr i'w gilydd. Atgoffir ef o hynny gan ei dad: *'hwn, dy frawd'* (adn. 32). Mae'r tad yn credu bod rhaid gwneud rhywbeth arbennig i ddathlu a llawenhau gan fod dychweliad ei fab ieuengaf yn union fel petai wedi dod o farw'n fyw. Y mae dod yn ôl at Dduw yn gyfystyr â chanfod bywyd newydd. Y gwahoddiad yw i'r mab hynaf hefyd rannu yn y gorfoledd a thrwy hynny rannu yn y bywyd newydd a ddaeth i lonni'r teulu cyfan.

Ni wyddom a dderbyniodd y mab hynaf y gwahoddiad ai peidio. Mae'r stori'n diweddu â'r mab ieuengaf yn y tŷ yn mwynhau ac yn dathlu gyda'i deulu, a'r mab hynaf oddi allan yn ddig ac yn ddiflas. Nid oes neb wedi ei gau allan. Erys y drws ar agor. Ond y mae'n gwrthod mynd i mewn ac felly yn cau ei hun allan. Meddai William Barclay, 'He was barred from heaven by his own lovelessness'.

Cwestiynau i'w trafod:

1. Beth yw eich barn am y mab hynaf? Beth yw ei fai mawr?

2. Beth yw nodweddion y math o ddaioni sy'n atgas?

3. A oes rhywfaint o ysbryd y mab hynaf yn yr eglwys heddiw? Os oes, sut mae cael gwared ohono?

Y GWEITHWYR YN Y WINLLAN

Mathew 20: 1–15

Dywedodd Iesu mai amcan ei ddyfodiad oedd creu byd newydd gyda safonau a gwerthoedd hollol wahanol i eiddo'r hen fyd. Yn y ddameg hon, a adroddir gan Fathew yn unig, dengys Iesu y chwyldro sy'n digwydd pan fydd safonau'r deyrnas yn effeithio ar y modd y telir gweithwyr yng ngwasanaeth Duw. Wedi iddo atgoffa Iesu eu bod hwy fel ei ddisgyblion wedi gadael popeth i'w ddilyn, gofynnodd Pedr y cwestiwn, *'Beth felly a gawn ni?'* (adn. 19: 27). Atebodd Iesu fod gwobr i bob gwasanaeth, ond nid yw Duw yn talu yn ôl haeddiant y gweithwyr, ond yn ôl ei haelioni a'i ras ei hun. O safbwynt dynol ni ellir rhyfeddu bod y gweithwyr a oedd wedi llafurio drwy'r dydd yn y gwres yn cwyno eu bod wedi cael cam wrth weld y rhai a gyflogwyd am yr awr olaf o'r dydd yn unig yn derbyn yr un faint o gyflog â hwy eu hunain.

Y Cynhaeaf Grawnwin
Yr oedd adegau o'r flwyddyn pan fyddai'r sefyllfa a ddisgrifir yn y ddameg hon yn digwydd yn gyson, yn enwedig yn ystod y cynhaeaf grawnwin o ganol Awst i ddechrau Medi. Erbyn canol Medi deuai'r glawogydd a byddai'n ras yn erbyn y tywydd i fedi'r cynhaeaf. Ar adegau felly byddai galw am gymorth pob gweithiwr oedd ar gael. Er mai o 6 o'r gloch y bore hyd 6 yr hwyr oedd hyd y diwrnod gwaith arferol, nid peth anarferol oedd cyflogi dynion o 9 o'r gloch, hanner dydd, 3 o'r gloch y prynhawn ac mor hwyr â 5 o'r gloch am awr o waith yn unig, cymaint oedd y galw am gymorth i gasglu'r cynhaeaf.

Yr arferiad oedd talu gweithiwr ar ddiwedd y dydd am ddiwrnod cyfan o waith. *'Paid â gorthrymu gwas cyflog anghenus a thlawd ... Rho ei gyflog iddo bob dydd cyn i'r haul fachlud, rhag iddo achwyn arnat wrth yr Arglwydd ac i ti dy gael yn euog o bechod* (Deut. 24: 14–15). Gan mor dlawd oedd amgylchiadau'r gweithiwr cyflog yr oedd y ddeddf yn diogelu hynny o hawliau a oedd ganddo. Ond yn nyfodiad y deyrnas daeth ateb newydd a chwyldroadol i gri'r ddynoliaeth am hawliau.

Cyflogi'r Gweithwyr

Ar yr olwg gyntaf dameg yn ymdrin â chyflogi a thalu yw hon. Cytunodd y cyflogwr â'i weithwyr ar dâl o un darn o arian (neu *denarius*) am ddiwrnod o waith a estynnai o 6 o'r gloch y bore hyd 6 yr hwyr. Ymwelodd â'r farchnad i gyflogi rhagor o weithwyr ar wahanol adegau yr un diwrnod – am 9 o'r gloch, hanner dydd, 3 a 5 o'r gloch y prynhawn. Pan ddaeth yn amser talu, yn naturiol disgwyliai'r rhai a fu'n gweithio *'drwy'r dydd yn y gwres tanbaid'* (adn.12) y caent fwy na'r rhai a weithiodd ond am ychydig oriau. Pan welsant mai un darn arian oedd tâl pawb yn ddiwahân dechreuasant rwgnach yn erbyn y cyflogwr. Dyma danseilio unrhyw syniad o degwch a chyfiawnder. Oni allent ddisgwyl cyflog *pro rata*, sef tâl llawn am ddiwrnod llawn o waith, hanner cyflog am chwe awr o waith, chwarter cyflog am deirawr a deuddegfed rhan o gyflog am awr o waith? Ond nid felly y bu. Yn hytrach, rhoddwyd yr un cyflog yn union – un *denarius* – i bawb.

Sut bynnag mae dehongli'r ddameg hon, rhaid sylweddoli i ddechrau nad rhoi gwers mewn economeg y mae Iesu, ond dysgu neges ysbrydol. Nid hyfforddi ei wrandawyr sut y dylent *hwy* dalu i'w gweision y mae, ond egluro sut y mae Duw yn gwobrwyo'r rhai sy'n perthyn i'w deyrnas ysbrydol ef. Fel y mynnodd y gwinllannwr weithredu ei hawl i dalu'r un cyflog o un *denarius* i bawb a ymatebodd i'w alwad i weithio yn ei winllan, i'r olaf fel i'r cyntaf, felly hefyd y mae Duw yn rhoi i bob un, nid yn ôl ei haeddiant, ond yn ôl haelioni ei ras dwyfol.

Nid rhywbeth i'w rannu yn ôl haeddiant yw gras Duw, ddim mwy nag yw tad a mam yn rhannu eu cariad at eu plant yn ôl eu hoed neu yn ôl eu hymddygiad. Yn wir, y mae'n ffodus nad ar dir cyfiawnder ac economeg gytbwys y mae Duw yn ymdrin â ni. Meddai'r Salmydd, *'Ni wnaeth â ni yn ôl ein pechodau, ac ni thalodd i ni yn ôl ein camweddau'* (Salm 103: 10). Ym mywyd y deyrnas, gras Duw, nid hawliau dynol, yw'r egwyddor sylfaenol. Ac er bod gras yn chwalu disgwyliadau a chonfensiynau arferol, nid yw byth yn gwneud cam â neb nac yn trin neb yn annheg.

Ystyron Amrywiol

Dros y blynyddoedd y mae esbonwyr a phregethwyr wedi canfod amrywiaeth eang o ystyron posibl yn y ddameg hon. Er enghraifft, awgrymwyd bod y ddameg yn dysgu mai *ansawdd gwaith ac nid ei hyd sy'n bwysig*. Dichon fod hynny'n wir. Nid yn ôl maint ei gynnyrch y mae mesur gwerth cyfraniad awdur neu fardd, ond yn ôl ansawdd ei waith. Ond nid oes unrhyw awgrym yn y ddameg fod gwaith y rhai olaf i'w cyflogi yn well na gwaith y rhai fu'n llafurio drwy'r dydd.

Y mae eraill wedi mynnu mai neges y ddameg yw *fod Duw yn caru'r rhai sy'n dod ato ar ddiwedd eu hoes lawn gymaint â'r rhai fu'n ei ddilyn o'u plentyndod*. Y mae'n berffaith wir mai ar filltiroedd olaf y daith y mae rhai yn dod yn Gristnogion ac nad yw Duw yn eu caru fymryn yn llai oherwydd hynny. Nid oes i gariad Duw unrhyw amodau ac nid yw'n rhannu ei gariad a'i ras yn ôl haeddiant na hyd bywyd Cristnogol neb. Dichon y gellir dadlau fod hyn ymhlyg yng nghenadwri'r ddameg hon, er nad dyna yw ei phrif neges.

Barn eraill yw fod y ddameg yn *pwysleisio urddas gwaith a hawl pob person i ennill bywoliaeth*. Yr arferiad oedd i weithwyr cyflog ymgasglu ar ganol pentref i ddisgwyl i gyflogwyr gynnig gwaith iddynt. Daeth y meistr sawl gwaith yn ystod y dydd i gyflogi gweithwyr, ac am 5 o'r gloch yr oedd rhai yn dal i ddisgwyl. Heb i rywun eu cyflogi byddent yn gorfod mynd adref yn waglaw heb ddim i fwydo'u plant. Cwestiwn y meistr iddynt oedd, *'Pam yr ydych yn sefyll yma drwy'r dydd yn segur?'* A'u hateb oedd, *'Am na chyflogodd neb ni'* (adn. 6–7). Y mae'n wir na ddylai neb o fewn cymdeithas wâr orfod treulio'i amser yn segura. Dylid cydnabod hawl pawb i waith a chyflog teg. Er y gellid tynnu'r wers hon o'r ddameg, eto nid dyna yw ei phrif neges.

Y mae rhai wedi dadlau mai yn adnod 16 y ceir yr allwedd i ystyr y ddameg, sef geiriau Iesu, *'Felly bydd y rhai olaf yn flaenaf a'r rhai blaenaf yn olaf'*. A gwelir fersiwn ychydig yn wahanol o'r un adnod ar ddiwedd pennod 19, adn. 30. Ond nid yw'r adnodau hyn yn rhan o'r ddameg wreiddiol. Un o nodweddion Efengyl Mathew yw tuedd yr awdur i grynhoi darnau o ddysgeidiaeth Iesu, gan gynnwys damhegion a dywediadau, a'u gosod gyda'i gilydd o fewn areithiau maith. Dyma'r hyn a ddigwyddodd yn achos Dameg y Gweithwyr a'r Cynhaeaf. Defnyddiodd yr awdur adn. 16 i geisio gosod y ddameg o fewn araith gyfansawdd yn ymwneud â sefyllfa'r disgyblion a'u cwestiynau am arian, gwobrwyon a chyflogaeth. Er bod adn. 16 yn rhan o ddysgeidiaeth Iesu, nid yw'n gyson â phrif neges y ddameg yn 20: 1–15. Nid yw 'y rhai olaf' (sef y rhai a weithiodd am awr yn unig) yn achub y blaen ar y 'rhai blaenaf' (sef y rhai fu'n gweithio drwy'r dydd). Holl bwynt y ddameg yw fod y gweithwyr i gyd yn derbyn cyflog cyfartal, sef un darn arian. Dyna oedd y cyflog y cytunwyd arno a dyna'r tâl a roddwyd i bawb.

O'i Ras y mae Duw yn Gwobrwyo

Deuwn yn ôl felly at brif genadwri'r ddameg, sef bod Duw yn talu i'w weision, nid yn ôl eu teilyngdod ond o gyfoeth ei ras. A hanfod gras yw na ellir ei ennill, na'i haeddu, na'i deilyngu. Ni ellir chwaith ei rannu gan roi cyfran llawn i un a chyfran llai i un arall. Yng ngoleuni'r ddameg hon gellir dweud tri pheth am effeithiau gras.

Yn gyntaf, *nid yw gras byth yn achosi i neb gael cam.* O weld y rhai diwethaf yn derbyn yr un cyflog â hwy, ymateb naturiol y gweithwyr fu'n llafurio drwy'r dydd oedd credu eu bod wedi cael cam. Ond meddai'r meistr, '*Gyfaill, nid wyf yn gwneud cam â thi. Onid am un darn arian y cytunaist â mi? Cymer yr hyn sydd i ti a dos ymaith*' (adn. 13–14). Gan mai un darn arian oedd y cyflog yr oeddent hwy eu hunain wedi cytuno arno yn gynnar yn y bore, nid oeddent wedi cael cam. Llai fyth y gall y sawl sy'n derbyn y wobr o gariad Duw a bendithion teyrnas nefoedd gwyno ei fod wedi cael cam. Yr unig ymateb priodol i'r sawl sy'n derbyn o fendithion gras Duw yw eu derbyn yn llawen a diolchgar, heb holi a yw eraill wedi derbyn mwy o freintiau o law Duw na hwy.

Yn ail, *yr un yw gwobr gras i bawb yn ddiwahân.* Hanfod gras, yn ôl John Oman, yw *perthynas* – Duw yn ymwneud mewn cariad a thrugaredd â phob un o'i blant. Y mae'n gwbl wahanol i arian a phethau materol y gellir eu cyfrif, eu rhannu a'u dogni. Nid rhywbeth y gellir ei fesur na'i bwyso na'i rannu yw perthynas. Gwobr Duw i'w blant yw eu gwneud yn wrthrychau ei gariad ac yn etifeddion ei deyrnas. Ni ellir dosrannu perthynas: rhoi hyn a hyn i hwn, a hyn a hyn i arall, yn ôl eu teilyngdod. Yr un yw'r wobr hon i bawb, gan mai'r un yw cariad Duw tuag at bob un o'i blant.

Yn drydydd, *nid oes lle i rwgnach na chenfigen yn y profiad o ras Duw.* Nid oes gan neb dynol hawl i ddweud pwy sy'n deilwng o fod yn wrthrychau cariad Duw a phwy sydd ddim. Yn ystod gweinidogaeth Iesu, y Phariseaid a'r ysgrifenyddion oedd yn grwgnach fod Iesu yn troi ymysg pechaduriaid ac yn cydfwyta â hwy (Luc. 15: 2). Ac ym mhob oes ceir 'grwgnachwyr' crefyddol sy'n methu derbyn bod cariad Duw yn cofleidio pawb yn ddiwahân. Eu dymuniad hwy yw dyrannu rhwng y rhai sydd, yn eu barn hwy, yn gadwedig a'r rhai sydd yn golledig. Y mae'r ddameg hon yn rhybudd i rwgnachwyr hunangyfiawn a chenfigennus sydd am osod eu ffiniau eu hunain i deyrnas Dduw a chau allan bawb nad ydynt yn eu barn hwy yn deilwng, pan yw Duw yn eu gwahodd i mewn. Y cwestiwn sy'n cloi'r ddameg yw, '*Ai cenfigen yw dy ymateb i'm haelioni?*' (adn. 15).

Cwestiynau i'w trafod:

1. *Beth sydd gan y ddameg hon i'w ddysgu i ni am ras Duw?*

2. *A oedd gan y gweithwyr fu'n llafurio yn y winllan drwy'r dydd achos i gwyno eu bod wedi cael cam?*

3. *Beth sy'n achosi cenfigen ymysg crefyddwyr a sut mae cael gwared ohono?*

Y CYFAILL GANOL NOS

Luc 11: 5–13

Y mae Luc yn adrodd Dameg y Cyfaill Ganol Nos fel atodiad i Weddi'r Arglwydd ac fel ymateb i gais un o'r disgyblion ar i Iesu eu dysgu i weddïo. Peth arferol oedd i rabi baratoi gweddi arbennig i'w defnyddio gan ei ddilynwyr, ac y mae'n amlwg fod Ioan Fedyddiwr wedi rhoi patrymau o weddi i'w ddisgyblion yntau. Gweld Iesu ei hun yn gweddïo a gododd yr awydd ar y disgybl hwn am gael dysgu mwy am weddi. Synhwyrodd fod Iesu'n gwneud mwy nag adrodd y gweddïau ffurfiol a adroddai pob Iddew duwiol bob dydd, a'i fod yn cynnal cymundeb real, agos â'i Dad nefol. Nid ateb y cais trwy roi darlith ar weddi a wnaeth Iesu, ond rhannu ei weddi ei hun â'i ddisgyblion. Ceir ffurf helaethach o Weddi'r Arglwydd gan Fathew (6: 9–13), ond cred rhai esbonwyr mai fersiwn Luc oedd ffurf wreiddiol y weddi. Ceir ynddi bump deisyfiad: am gael sancteiddio enw Duw, am ddyfodiad y deyrnas, am fara beunyddiol, am faddeuant pechodau ac am arweiniad i wynebu profiadau anodd bywyd.

Y Drws wedi ei Folltio

Ceir cysylltiad rhwng y ddameg a'r deisyfiad yng Ngweddi'r Arglwydd, *'dyro inni o ddydd i ddydd ein bara beunyddiol'*. Gwyddai Iesu fod rhaid i bawb wrth fwyd ac mai ewyllys Duw oedd iddynt gael eu cyflenwad o fara ar gyfer pob diwrnod. Ond prif bwynt y ddameg yw dangos nad mater o adrodd geiriau yw gweddïo. Rhaid wrth daerineb, dyfalbarhad a ffydd ddiysgog fod Duw yn ateb gweddi. Rhoddir darlun byw o ŵr yn mynd ar ofyn cyfaill ganol nos am fenthyg tair torth o fara. Eglura'r gŵr fod cyfaill iddo ar daith wedi cyrraedd i'w dŷ yn annisgwyl ac nad oedd ganddo ddim i'w roi o'i flaen i'w fwydo. Yna ceir dadlau rhwng y ddau gyfaill – un y tu allan i'r drws cloëdig, a'r llall oddi mewn gyda'i deulu'n cysgu o'i gwmpas yn ei dŷ bychan un ystafell.

Arwydd clir fod y teulu wedi noswylio ac nad oeddynt am gael eu haflonyddu oedd fod y drws wedi'i folltio. Er mwyn deall anhawster gŵr y tŷ rhaid cofio mai un ystafell oedd tŷ cyffredin ym Mhalestina, gydag un rhan yn ffurfio math o lwyfan lle cysgai'r teulu – y tad ar un pen a'r fam y pen arall a'r plant yn y canol – a'r rhan arall ar y llawr lle cysgodai'r anifeiliaid drwy oriau'r nos. Byddai codi o'r gwely i ateb cais y cymydog yn golygu deffro'r teulu ac aflonyddu ar yr anifeiliaid er mwyn cyrraedd y drws! Does ryfedd mai ateb gŵr y tŷ yw, *'Paid â'm blino; y mae'r drws erbyn hyn wedi'i folltio, a'm plant gyda mi yn y gwely; ni allaf godi i roi dim iti'* (adn. 7). Ond ni wna unrhyw esgus dycio i'r cymydog oddi allan. Mae'n dal ati i guro ac i bledio am fara. Ni fydd llonydd i ŵr y tŷ nes iddo gael ei ddymuniad. Mae'r cyfeiriad at ei *'daerni digywilydd'* (adn. 8) yn awgrymu ei fod yn curo a churo drachefn. Er eu bod yn gyfeillion, nid yw gŵr y tŷ am godi i roi dim iddo. Ond yn y diwedd, er mwyn cael gwared o'r cymydog penderfynol, haerllug, mae ei gyfaill yn codi ac *'yn rhoi iddo gymaint ag sydd arno'i eisiau'* (adn. 8). Mae llawer o hiwmor yn y sefyllfa, ond y neges yw, os yw taerineb yn llwyddo i gael cyfaill dynol anfoddog i ymateb i gais cymydog mewn angen, onid yw Duw yn barod ac yn eiddgar i estyn i ni ei gymorth pan ofynnwn iddo?

Gofyn, Chwilio, Curo

Fel y rhoddwyd i'r gofynnwr, ac y cafwyd gan y ceisiwr, ac yr agorwyd i'r curwr, felly hefyd y mae Duw yn barod i wrando ymbiliau ei bobl bob amser, dim ond iddynt weddïo gyda'r un dyfalwch. Er nad oes angen *'taerni digywilydd'* i'w berswadio i ateb ein gweddïau, eto i gyd ni all Duw roi heb barodrwydd ar ein rhan i *ofyn*. Daeth disgybl at Iesu i ofyn, *'Arglwydd, dysg i ni weddïo'* (adn. 1). O ganlyniad i'r gofyn fe gafodd ef a'i gyd-ddisgyblion ymuno yng ngweddi Iesu ei hun, yn ymddiddan y Tad a'r Mab. Trwy ofyn fe gafodd.

Ar ôl adrodd ei ddameg, ac er mwyn tanlinellu ei neges, meddai Iesu, gyda'i holl awdurdod fel Mab Duw, *'Ac yr wyf fi'n dweud wrthych: gofynnwch, ac fe roddir i chwi; ceisiwch, ac fe gewch; curwch, ac fe agorir i chwi'* (adn. 9). Heb inni gydnabod ein hangen, ni all Duw ddiwallu'r angen hwnnw. Heb inni wynebu'n diffygion yn onest a cheisio trugaredd Duw, ni allwn brofi bendith maddeuant. Heb inni ddwyn ein dyhead am Dduw at ddrws y nefoedd a churo, ni allwn brofi gwefr ei bresenoldeb. Mae amodau yn y bywyd ysbrydol. Rhaid dal ati i ofyn.

Rhaid ceisio yn ddyfal. Rhaid parhau i guro. Y mae'r Tad nefol yn barod bob amser i roi'r gorau i'w blant, dim ond iddynt ofyn iddo.

Ni bydd yr un tad daearol yn rhoi sarff i'w blentyn yn lle pysgodyn, nac ysgorpion yn lle wy. Er mor amherffaith yw cariad dynol, gŵyr pob tad sut i roi rhoddion da i'w blant. Er bod tebygrwydd rhwng pysgodyn a sarff, ac er bod ysgorpion yn medru rowlio'i hun i siâp wy, eto mae tad yn ddigon gofalus i wahaniaethu rhyngddynt rhag gwneud niwed i'w blant. Pa faint mwy, felly, y gŵyr ein Tad nefol beth i'w roi i ni? *'Gymaint mwy y rhydd y Tad nefol yr Ysbryd Glân i'r rhai sy'n gofyn ganddo'* (adn. 13). *'Pethau da'* a geir ym Mathew (7: 11), yn lle *'Ysbryd Glân'*. Yn ôl Luc y mae Duw nid yn unig yn rhoi i ni ei roddion, y mae hefyd yn rhoi i ni ei Ysbryd, nid yn unig yn rhoi ei bethau ond yn ei roi ei hun. Thomas á Kempis a weddïodd, 'Nid dy bethau a geisiaf Arglwydd, ond tydi dy hun. Er i mi dderbyn popeth sydd gennyt i'w roi, hebot ti, ofer a diwerth yw'r cyfan'.

Dysgu Gweddïo

Gan i Iesu adrodd y ddameg hon mewn ateb i gais y disgyblion iddo eu dysgu i weddïo, beth a ddysgwn oddi wrth y ddameg am natur ac amodau gwir weddi?

Yn gyntaf, *y mae gwir weddi yn seiliedig ar gred gywir yn Nuw.* Nid yw'r ddameg yn *cyffelybu* Duw i gymydog blin, crintachlyd, y mae'n rhaid ei berswadio i ateb ein deisyfiadau; yn hytrach, mae'n *gwrthgyferbynnu'r* ddau. Er mor amharod oedd y cyfaill i godi o'i wely, fe gododd a rhoi i'w gymydog yr hyn y gofynnai amdano. Er mor amherffaith yw cariad rhieni, y mae tad daearol yn ofalus nad yw'n rhoi unrhyw beth niweidiol i'w blant. Gymaint mwy y rhoddai Duw i'r sawl a ofynnai iddo, a hynny am mai ef yw eu Tad a hwythau'n blant iddo. 'Abba, Dad' oedd dull Iesu o gyfarch Duw ac o feddwl amdano. Roedd defnyddio 'Ein Tad' wrth weddïo yn ddigon cyffredin ymhlith Iddewon. Ond wrth ddefnyddio'r gair Aramaeg 'Abba' – gair plentyn wrth siarad â'i dad ar yr aelwyd – dangosodd Iesu ei berthynas agos â Duw a bod modd i ninnau, drwyddo ef, rannu yn yr un berthynas agos a chysegredig. Nid enw'n unig mohono, ond mynegiant o argyhoeddiad sy'n sail ffydd, ymddygiad a gweddi'r Cristion, sef mai Tad yw Duw yn ei hanfod. Sail gwir weddi yw nesáu at Dduw gydag ymddiriedaeth lwyr yn ei gariad a'i ofal, am mai ef yw ein Tad nefol.

Yn ail, *y mae gwir weddi yn gofyn am daerineb a dyfalbarhad.* Nid yw'r ddameg yn awgrymu fod Duw yn cysgu, neu ei fod yn ddihidio o ymbiliau ei bobl a bod angen gweiddi i'w orfodi i gymryd sylw ohonom! Nid yw'n golygu aflonyddu ar heddwch Duw a'i ddeffro o'i gwsg cyn y bydd yn barod i wrando, ond yn syml y dylem fod o ddifri wrth weddïo. Mae gweddi yn gofyn am ymdrech, ymroddiad a dyhead dwfn am bresenoldeb a bendith Duw. Y mae adegau pan yw'n ymddangos fod Duw fel petai wedi cilio oddi wrthym, pan yw drws gweddi yn gwrthod agor, ac nad oes neb yn gwrando ar ein hymbiliau. Ceir sawl enghraifft yn y Beibl o daerineb mewn gweddi. Jacob ym Mhenuel yn ymgodymu â'i 'angel' ac yn ei ateb, *'Ni'th ollyngaf heb iti fy mendithio'* (Gen. 32: 26); y disgyblion yn yr oruwchystafell cyn y Pentecost *'yn dyfalbarhau yn unfryd mewn gweddi'* (Actau 1: 14); ac Iesu ei hun yn gweddïo'n ddwys yng Ngardd Gethsemane, *'ac yr oedd ei chwys fel dafnau o waed yn diferu ar y ddaear'* (Luc 22: 44).

Gwelwn yn nefosiwn saint mawr yr oesau iddynt fod yn gwbl o ddifri yn eu gweddïo. Nid fod Duw yn ymarhous i ymateb i ymbiliau ei bobl, ond ei fod am iddynt ymdrechu ac ymegnïo yn eu bywyd ysbrydol. Y mae un esboniwr wedi cyfeirio at 'the indifference of God to anything less than the best there is in man – the determination of heaven not to hear what we are not determined that heaven shall hear'. Nid yw Duw yn rhoi ei fendithion gorau i ni hyd oni fyddwn yn dyheu yn angerddol amdanynt.

Yn drydydd, *y mae gwir weddi yn gofyn am ein cydweithrediad ni i geisio sylweddoli dyheadau ein gweddi.* Ein tuedd ni yw edrych ar weddi fel rhywbeth dymunol a da, ond nid rhywbeth i'n herio i ymdrechu ac i weithio. Ond mae Duw yn aml yn gofyn i ni fod yn gyfryngau i ateb ein gweddïau ein hunain. Dywed William Barclay fod un o bedwar ateb posibl i weddi: 'Ie', 'Na', 'Aros' neu 'Os'. Y mae adegau pan yw Duw yn barod i ateb ein gweddïau, *os* gwnawn ni ein rhan. Dylem gofio i weddïwyr gorau'r byd fod yn rhai o ymgyrchwyr ac aflonyddwyr mwya'r byd yn ogystal. Os ydym yn gweddïo am heddwch yn y byd, y mae Duw yn dweud wrthym am godi pontydd rhwng pobl. Os ydym yn gweddïo dros y tlawd, y mae Duw yn gofyn i ni roi o'n harian i'w cynorthwyo. Os ydym yn gweddïo dros yr unig a'r trist, y mae Duw yn gofyn i ni roi iddynt ein hamser a'n cwmni. Os ydym yn gweddïo am adfywiad yn yr eglwys, y mae Duw yn gofyn i ni ymroi yn llwyrach i weithio dros ei achos. Nid oes diben gweddïo heb i'n gweddi ddwyn ffrwyth mewn gwaith.

Cwestiynau i'w trafod:

1. *Pam mae Iesu'n pwysleisio taerineb mewn gweddi?*

2. *A yw Duw bob amser yn ateb gweddi?*

3. *Beth yw gwerth a phwysigrwydd gweddi ym mywyd y Cristion a'r eglwys?*

Y WEDDW A'R BARNWR

Luc 18: 1–8

Yn achlysurol ceir achosion o bobl ddieuog yn cael eu carcharu ar gam. Pan ddigwydd hynny bydd rhywrai – perthnasau, cyfeillion, cyfreithwyr, gohebwyr papurau newydd ac eraill – yn ymgyrchu i gael ailagor eu hachos er mwyn sicrhau dedfryd deg iddynt mewn llys barn. Sefyllfa heb fod yn annhebyg a ddisgrifir yn y ddameg hon, ond bod y weddw, yn ddiymgeledd a digymorth, yn gorfod ymgyrchu drosti ei hun am ddedfryd gyfiawn. Rhoddir lle amlwg yn yr Ysgrythurau i ofal am yr amddifad a'r weddw, a disgrifir Duw fel *'Tad yr amddifaid ac amddiffynnydd y gweddwon'* (Salm 68: 5). Ond gorfod pledio'i hachos ei hun y mae'r weddw yn y ddameg hon. Neges y ddameg yw fod angen taerineb a dyfalbarhad mewn gweddi. Gwneir hynny'n amlwg yng nghyflwyniad Luc: *'Dywedodd ddameg wrthynt i ddangos fod yn rhaid iddynt weddïo bob amser yn ddiflino'* (adn. 1). Nid annog taerineb mewn gweddi yn unig yw amcan y ddameg, ond annog ffydd yn Nuw a sicrhau ei bobl ei fod bob amser yn ateb eu gweddïau.

Ple'r Weddw

Cyflwynir ni'n gyntaf i'r barnwr, a chawn ddarlun o gymeriad na ellid ymddiried ynddo byth i weinyddu cyfiawnder yn deg a diduedd: *'Nid oedd yn ofni Duw nac yn parchu eraill'* (adn. 2). Dyma ddyn cwbl ddigydwybod, anffyddiwr balch, hunanol, nad yw'n malio dim beth sy'n iawn yng ngolwg Duw ac nid yw chwaith yn teimlo unrhyw gonsýrn am ei gyd-ddynion. Mewn cyferbyniad, mae'r weddw'n ddiamddiffyn a di-gefn. Ond nid yw hynny'n ei rhwystro rhag apelio'n gyson ar y barnwr am ddedfryd gyfiawn yn erbyn ei gwrthwynebydd. Nid yw'n gofyn am ddial, nac ad-daliad, dim ond am gyfiawnder. Nid oes ganddi neb i ddadlau ei hachos. Yr unig beth sydd ganddi o'i phlaid yw ei phenderfyniad a'i dygnwch ei hun. Dro ar ôl tro mae'n gosod ei hachos o flaen y barnwr. Deil yntau i wrthod. Ond nid yw hynny'n tycio dim ac nid yw'r weddw am adael llonydd iddo. O'r diwedd, wedi iddi wneud niwsans glân ohoni'i hun, ac er mwyn cael llonydd rhag ei phledio diddiwedd, mae'r barnwr yn ildio ac yn rhoi iddi ddedfryd gyfiawn. Nid yw'n gwneud cyfiawnder o barch i Dduw, nac er mwyn ei enw da ei hun, ond yn unig er tawelwch a chysur personol: *'rhag iddi ddal i ddod a'm plagio i farwolaeth'* (adn. 7). Ystyr llythrennol y gair a gyfieithir fel 'plagio' yw cleisio dyn dan ei lygad, rhoi 'llygad ddu' iddo. Ceir cryn fesur o hiwmor yn y darlun, fel pe bai'r barnwr yn gofyn, 'Be wnaiff y wraig yma nesaf? Ai dod i roi clatsien imi?' Ond gwell yw cymryd ei eiriau mewn ystyr ffigurol: 'rhag i hon ddod yn ddiddiwedd i'm poeni'.

Y Barnwr a Duw

Nid cymharu'r barnwr anghyfiawn â Duw a wna Iesu, ond eu gwrthgyferbynnu. Os yw'r barnwr croendew hwn, nad yw'n malio dim am y weddw nac am gyfiawnder ei hachos, yn ymateb o'r diwedd oherwydd ei phledio taer, *'a fydd Duw yn gwrthod cyfiawnder i'w etholedigion?'* (adn. 7). Pa faint mwy y mae Duw yn barod i wrando ar ymbiliau ei blant? Mae Iesu'n gyson yn ei ddysgeidiaeth yn gwrthgyferbynnu'r dynol a'r dwyfol, yn defnyddio pethau bychain, bydol, i gyfeirio'i wrandawyr at fawrion bethau'r nef, yn ymresymu o'r dynol amherffaith i'r dwyfol perffaith. *'Os ydych chwi, sy'n ddrwg, yn medru rhoi rhoddion da i'ch plant, gymaint mwy y rhydd eich Tad sydd yn y nefoedd bethau da i'r rhai sy'n gofyn ganddo'* (Math. 7: 11). Amhosibl yw cyfleu gwirioneddau am Dduw heb ddefnyddio cyffelybiaethau dynol. Os yw dyn meidrol, penstiff yn barod i wrando ar ymbiliau gweddw dlawd, y mae'r Duw tosturiol, cariadlon, gymaint mwy parod i wrando ar weddïau ei blant.

Mae'r gair *'etholedigion'* (adn. 7), yn cyfeirio yn y lle cyntaf at bobl Israel, y rhai a etholwyd gan Dduw i genhadaeth arbennig yn y byd a'r rhai cyfiawn sy'n gwasanaethu Duw trwy eu bywydau da. Etifeddwyd y gair gan yr Eglwys Fore. Dilynwyr Iesu sydd bellach wedi eu dewis gan Dduw i gyflawni ei genhadaeth ac i fod yn bobl iddo. Oherwydd mai hwy yw 'etholedigion' newydd Duw, daw erlid a dioddefaint i'w rhan oddi ar ddwylo eu gwrthwynebwyr ac y mae eu cri yn barhaus at Dduw am ymwared. Ond ni fydd eu gweddïau heb eu hateb ac ni fydd oedi hir cyn dyfodiad Mab y Dyn.

Egwyddorion Gweddi

Dameg ar weddi yw hon, ac mae'n cyfateb yn agos o ran ei neges i Ddameg y Cyfaill Ganol Nos (Luc 11: 5–13). Er bod y ddwy stori'n wahanol, y naill am weddw yn pledio'i hachos o flaen barnwr anghyfiawn, a'r llall am gyfaill yn curo wrth ddrws ei gymydog ganol nos i ofyn am fara, mae *neges* y ddwy yn cyfateb, sef bod rhaid wrth daerineb a dyfalbarhad mewn gweddi. Yn y ddwy ddameg gwelir beth yw egwyddorion gweddi.

Yn gyntaf, *y mae gwir weddi'n codi o ymdeimlad o angen.* Un mewn angen oedd y weddw daer. Dro ar ôl tro yn y Beibl cyfeirir at y weddw fel symbol o angen ac fel un mewn cyflwr o dlodi ac eisiau. Mae'n ffaith gyffredinol fod y rhelyw o bobl yn troi at Dduw pan ddaw gofid a chyfyngder heibio iddynt. *'Yr oedd eu nerth yn pallu,'* meddai'r Salmydd, *'yna gwaeddasant ar yr Arglwydd yn eu cyfyngder, a gwaredodd hwy o'u hadfyd'* (Salm 107: 5–6). Aeth yn ffasiynol ers tro i ddweud mai rhagrithwyr yw pobl sy'n gweddïo. Ond y mae peidio â gweddïo'n fwy rhagrithiol o lawer, oherwydd nid yw hynny'n ddim ond person yn cymryd arno y medr wneud heb Dduw. Os yw hi'n anodd cael pobl heddiw i gydnabod eu hanghenion personol ac ysbrydol eu hunain, o leiaf y maent yn barotach i gydnabod yr angen i weddïo dros bobl eraill, yn enwedig y miliynau drwy'r byd sy'n llwgu ac yn ddigartref, a'r rhai nes adref – cyfeillion a pherthnasau sy'n ddifrifol wael a hwythau'n analluog i'w helpu. Ein hanghenion ein hunain ac anghenion eraill sy'n gwneud gweddïwyr o bob un ohonom.

Yn ail, *un o nodweddion gwir weddi yw taerineb.* Dyna a wnaeth y weddw. Bu mor daer yn pledio'i hachos o flaen y barnwr nes llwyddo i'w gael i roi iddi ddedfryd deg. Peth felly yw gwir weddi yn ôl Iesu: gofyn, ceisio, curo a dal ati'n egnïol. Nid yw hynny'n golygu fod rhaid bod ar ein gliniau am oriau, ond yn hytrach fod rhaid bod o ddifrif yn ein hymbiliau a dyheu am Dduw â holl egnïon ein henaid. Ond pam mae taerineb a dyfalbarhad mor bwysig? Pam nad yw Duw yn rhoi inni yr hyn y gofynnwn amdano yn ddiymdroi? Y gwir yw fod Duw yn rhoi inni'n helaeth o'i roddion da bob dydd heb inni ofyn dim oddi wrtho. Ond i werthfawrogi ei haelioni'n llawn, rhaid inni ddyheu yn ddigon angerddol amdanynt. Rhaid bod yn ddiffuant ac o ddifrif mewn gweddi. Dywed Awstin Sant y byddai, cyn ei dröedigaeth, yn gweddïo,

'Arglwydd, gwna fi'n bur ac yn dda – ond nid eto!' Roedd yn gweddïo am rywbeth nad oedd mewn gwirionedd yn dymuno'i gael.

Yn drydydd, *un arall o nodweddion gwir weddi yw ffydd,* sef y gred sicr fod Duw yn ateb gweddïau ei blant. Prif neges y ddameg hon yw nid annog dyfalbarhad yn unig, ond annog ffydd yn Nuw ac yn ei fwriadau da tuag at ei blant. Dyna sydd yn rhoi ystyr a grym i weddi. A byddai hynny'n neges o gysur a gobaith i'r credinwyr cynnar yn wyneb erledigaeth a gwrthwynebiad yr awdurdodau, a'r ffaith fod Duw fel pe bai'n hwyrfrydig i ateb eu hymbiliau. Wrth gwrs, nid yw Duw bob amser yn ateb ein gweddïau fel y disgwyliwn ni iddo wneud. Rhaid ychwanegu at bob gweddi, *'dy ewyllys di a wneler'.* Amcan gweddi yw dwyn ein meddyliau, ein dyheadau a'n cynlluniau i gytgord â'r drefn ddwyfol, nid ceisio ymyrryd yn y drefn honno a'i throi at ein dibenion ein hunain. Y mae gwir weddi yn golygu gadael ein hymbiliau a'n deisyfiadau yn nwylo Duw mewn ymddiriedaeth lwyr, gan wybod y bydd ef, yn ei ffordd ac yn ei amser ein hun, *'yn gweithio er daioni i'r rhai sy'n ei garu'* (Rhuf. 8: 28).

Pan Ddaw Mab y Dyn

Y mae neges y ddameg hon yn berthnasol i'n sefyllfa ni heddiw. Daliai'r weddw ati i bledio ac ymgyrchu dros gyfnod hir heb fod dim yn tycio. Cawn ninnau'n hunain mewn cyfnod pan nad oes fawr ddim yn digwydd, na fawr o lewyrch ar y dystiolaeth Gristnogol, er gwaethaf ein gwaith a'n gweddïau. Y perygl wedyn yw inni laesu dwylo, llithro i anobaith a difaterwch a rhoi'r gorau i ymdrechu. Gallai'r weddw fod wedi gwneud hynny, ond dal ati a wnaeth, ac yn y diwedd cafodd ymateb. Yn yr un modd, mae Iesu'n galw am ddyfalbarhad a dygnwch oddi wrth ei bobl, yn arbennig yn y cyfnodau llwm a dilewyrch. Yna mae'n cloi'r ddameg gyda chwestiwn: *'Pan ddaw Mab y Dyn, a gaiff ef ffydd ar y ddaear?'* (adn. 8). Pan fydd yn dychwelyd mewn grym a gogoniant ar y dydd olaf, a fydd yn canfod pobl yn parhau i weddïo ac yn dal ati yn eu tystiolaeth a'u gwaith dros y deyrnas? Dyna yw gwir ffydd: dal i gredu, dal i weithio, dal i ymddiried a dal i ddisgwyl, hyd yn oed pan yw'r amgylchiadau'n anffafriol a'r hin yn arw.

Ar ddiwedd yr Ail Ryfel Byd cafwyd hyd i'r geiriau canlynol wedi eu crafu ar wal un o gelloedd y Gestapo yn ninas Cologne, gan ryw garcharor druan na wyddai neb ei enw:

Credaf yn yr haul, hyd yn oed pan nad yw'n tywynnu;
credaf mewn cariad, hyd yn oed pan nad wyf yn ei deimlo;
credaf yn Nuw, hyd yn oed pan yw ef yn fud.

Dyna fynegiant o ffydd oedd yn dyfalbarhau yn wyneb amgylchiadau erchyll, yn dal ati ac yn gwrthod ildio i anobaith. Gwyddai saint a chyfrinwyr yr eglwys am 'nos dywyll yr enaid', pan fyddai Duw fel pe bai'n cilio a gadael yr enaid yn oer ac amddifad. Nid oedd ond un ffordd o ddelio â chyfnodau o'r fath, sef ymroi i weddïo mwy, dyfalbarhau, dal ati i geisio, i guro ac i ddisgwyl, gan wybod y byddai haul ei bresenoldeb yn gwawrio eto ar yr enaid.

Cwestiynau i'w trafod:

1. Beth a olygir wrth 'daerineb' mewn gweddi?

2. 'Gweddi yw ymddiried ein hunain a'n hanghenion i ofal Duw gan wybod y bydd ef yn ateb ein hymbiliau yn ei amser ei hun a'i ffordd ei hun.' A ydych yn cytuno?

3. A ydych yn cytuno mai ffydd i ddal ati er gwaethaf amgylchiadau anodd yw angen mawr yr eglwys heddiw?

Y PHARISEAD A'R CASGLWR TRETHI

Luc 18: 9–14

Y mae gwir dduwioldeb, o'i ganfod mewn person arall – Ffransis o Assisi, Dietrich Bonhoeffer neu'r Fam Theresa, dyweder – yn atyniadol, yn brydferth ac yn Grist-debyg. Ond mae ffug-dduwioldeb crefyddlyd, hunangyfiawn, yn atgas ac yn cynrychioli'r math o ddaioni sydd, mewn gwirionedd, yn ddrygioni. Dyna grefydd y person sy'n ceisio bod 'yn fwy duwiol na Duw', chwedl Tegla Davies. Wrth bobl debyg y llefarodd Iesu'r ddameg hon. Cerydd sydd ynddi i'r rhai *'oedd yn sicr eu bod hwy eu hunain yn gyfiawn, ac yn dirmygu pawb arall'* (adn. 9). Bron nad yw'r disgrifiad o'r ddau weddïwr yn gartŵn. Beirniadwyd portread Iesu o'r Pharisead balch a hunanfodlon gan rai fel gwawdlun creulon ac annheg. Ond go brin fod Iesu'n dychanu'r Phariseaid fel dosbarth nac yn awgrymu fod pob un ohonynt yn euog o'r un balchder ysbrydol a'r un agwedd ddirmygus at eraill. Ar y llaw arall, mae'n fwriadol yn cyflwyno darlun eithafol o hunanhyder crefyddol er mwyn cyferbynnu balchder y Pharisead â gwyleidd-dra'r casglwr trethi.

Y Pharisead a'i Weddi

Lleolir stori'r ddameg yn llys y deml. Yno, cynhelid pedair awr weddi bob dydd – am 9 y bore, am hanner dydd, am 3 y prynhawn ac am 6 yr hwyr – a byddai Iddewon duwiolfrydig, yn enwedig y Phariseaid, yn gwneud ymdrech i fod yn bresennol ym mhob un ohonynt. Ystyr y gair 'Phariseaid' yw 'rhai ar wahân', sef rhai sy'n cadw a chyflawni gofynion y Gyfraith yn eu holl fanylion gan osod ufudd-dod i'r ddeddf uwchlaw popeth arall. Byddai'n ymarferol amhosibl i bob Iddew cyffredin fynychu pob awr weddi a chadw holl fanion defodau a rheolau'r Gyfraith. Ond yr oedd ymroddiad y Phariseaid, eu ffyddlondeb i'r oriau gweddi ac i'r seremonïau glanhau, a'u safonau uchel o foesoldeb, yn eu gosod ar wahân. Yn naturiol yr oedd tuedd ynddynt wedyn i ddiystyru'r rhai nad oedd ganddynt na'r amser na'r arian, nac efallai'r awydd, i gadw holl fanylion y ddeddf. Gwaharddwyd hwy rhag prynu dim oddi wrth 'bechaduriaid', a rhag gwerthu dim iddynt chwaith, ac yn sicr ni chaent fwyta nac yfed gyda hwy. Credai'r Pharisead fod tynged tragwyddol dyn yn ei ddwylo'i hun, ac felly y gallai ennill iachawdwriaeth drwy ei ffyddlondeb a'i weithredoedd da. Tueddai'r gred yma i fagu balchder, hyder ysbrydol a hunangyfiawnder.

Er mai syniad anffafriol sydd gennym ni am y Phariseaid, rhaid cofio fod llawer iawn o barch tuag atynt ymhlith cyfoedion Iesu. Wrth sôn am ei sêl grefyddol ei hun cyn dod yn Gristion, dywed Paul iddo fod '*yn ôl y Gyfraith, yn Pharisead*' (Phil. 3: 5). A phrin y gellir dychmygu mai bwriad Iesu yw gwneud yn fach o ymdrechion canmoladwy y Pharisead a ddisgrifir yn y ddameg. Wedi'r cyfan mae'r gŵr hwn yn gwbl o ddifrif yn ei ymarfer o'i grefydd. Nid yn unig y mae'n cadw deddfau'r Gyfraith Iddewig, y mae'n rhagori arnynt. Yn ôl y Gyfraith (Deut. 14: 22–23) yr oedd disgwyl i'r Iddew ddegymu ŷd, gwin, olew, gwartheg a defaid. Ond fe dalai'r Pharisead hwn ddegwm ar bopeth a gâi. Yn ychwanegol at yr arfer swyddogol o ymprydio, fe ymprydiai hwn ddwywaith yr wythnos: '*yr wyf yn ymprydio ddwywaith yr wythnos, ac yn talu degwm ar bopeth a gaf*' (adn. 18). Os gwastraff amser ac egni yw ei hunanddisgyblaeth, ei aberth a'i ymdrech foesol ac ysbrydol, yna pa ddiben o gwbl sydd mewn ceisio byw yn dda? Ac os oes gwerth i orchmynion sanctaidd Duw, nid ar chwarae bach y mae dilorni ymdrechion y gŵr hwn i'w cadw. Beth sydd o'i le, felly, ar grefydd ac ar ymddygiad y Pharisead?

Yn sicr nid yw Iesu'n ei gondemnio am ei sêl grefyddol na'i ymdrechion i gadw manylion y Gyfraith. Dau beth sy'n tanseilio'i dduwioldeb ac yn gwneud ei weddi'n ddiwerth – ei *hunanoldeb* a'i *agwedd ddirmygus o bawb arall.* Daw i bresenoldeb Duw yn llawn balchder a hunangyfiawnder a chymryd ei le gan sefyll i weddïo. Dyna oedd yr ystum gyffredin i Iddewon, ond ychwanegir ei fod yn '*sefyll wrtho'i hun*' (adn. 11) – ar wahân oddi wrth addolwyr eraill. Ond gan ei fod yn rhestru ei rinweddau gerbron Duw ac yn ei longyfarch ei hun am ei ragoriaethau, nid yw ei weddi'n codi'n uwch na'i galon ei hun. Mae'n diolch nad yw '*fel pawb arall ... na chwaith fel y casglwr trethi yma*' (adn. 11). Mae ei falchder ysbrydol yn ei ddallu i'w wendidau a'i feiau ei hun oherwydd ei fod yn ei gymharu ei hun â'r rhai salaf yn y gymdeithas. Dyna graidd ei fethiant. O gymryd rhai gwaelach nag ef ei hun, yn hytrach na sancteiddrwydd llachar Duw, fel ei linyn mesur, nid yw'n gweld ei hun fel y mae mewn gwirionedd. Mae'n edrych i *lawr* yn hytrach nag edrych i *fyny*. Ei awydd mawr yw bod yn well na phobl eraill, yn hytrach na bod yr hyn y mae Duw am iddo fod. Mae'r casglwr trethi, ar y llaw arall, yn edrych i fyny ac yn gweld ei feiau yng ngoleuni sancteiddrwydd Duw.

Y Casglwr Trethi a'i Weddi

Gan fod y Pharisead yn teimlo'i hun yn fawr yn ymyl pobl eraill, ac yn arbennig yn ymyl y casglwr trethi, ni lwyddodd ei weddi i gyrraedd i'r nef. Ar y llaw arall, nid yw'r casglwr trethi yn mesur ei hun yn ymyl unrhyw berson dynol, ond yn hytrach yn ymyl mawredd a pherffeithrwydd Duw. Yng ngolwg pobl eraill ystyrir ef yn dwyllwr, yn fradwr, ac yn perthyn i'r un dosbarth â lladron a llofruddwyr. Trosedd fawr y casglwyr trethi oedd eu bod yn gweithio ar ran y Rhufeiniaid. Gosodid lefelau'r gwahanol drethi – treth incwm, treth ar dir a tholldaliadau – gan yr awdurdodau Rhufeinig, ond gan na wyddai'r bobl gyffredin beth oedd y dreth swyddogol byddai'r casglwyr trethi'n codi llawer iawn mwy arnynt er mwyn gwneud elw sylweddol iddynt eu hunain. O'i gymharu'i hun â chasglwyr trethi eraill nid oedd hwn ddim gwell na dim gwaeth na'r gweddill. Ond gerbron Duw mae'n gweld ei hun mewn goleuni gwahanol, yn teimlo euogrwydd a chywilydd, ac yn gwybod nad oes ganddo ddim i ymffrostio ynddo. Saif ymhell i ffwrdd o'r cysegr heb feiddio codi'i olygon tua'r nef. Yn hytrach mae'n curo'i fron gan ei fod yn ystyried ei galon yn fangre pechod. Ni all wneud dim ond gofyn am drugaredd.

Yn ogystal â'i adnabod ei hun, mae'r casglwr trethi yn adnabod Duw fel un a allai drugarhau wrtho. Gan grynhoi ei weddi i un deisyfiad, '*O Dduw, bydd drugarog wrthyf fi, bechadur*' (adn. 13), mae'n taflu ei hun ar ras a thrugaredd Duw. Daw at Dduw yn ostyngedig ac yn edifeiriol gan ofyn am ddim ond trugaredd. Ac meddai Iesu, '*Rwy'n dweud wrthych, dyma'r un a aeth adref wedi ei gyfiawnhau, nid y llall*' (adn. 14).

Mae'r gwahaniaeth rhwng y ddau weddïwr yn eu hagwedd tuag at Dduw. Nid yw'r Pharisead yn gofyn dim oddi wrth Dduw. Nid yw'n gweld fod arno angen dim. Mae'n berffaith fodlon ar fywyd ac arno'i hun. Ni all Duw wneud dim iddo am nad oes arno eisiau dim. Ond os yw'n ddieuog o amryw o bechodau, mae'n euog o'r pechod mwyaf, sef balchder ysbrydol. Nid yw'r casglwr trethi yn well dyn yn ôl safonau moesol. Yn wir, gellid dadlau ei fod yn salach dyn ar lawer cyfrif. Ond mae'n gweld ei angen, yn cydnabod mai pechadur ydyw, ac yn gofyn i Dduw drugarhau wrtho. Ei ostyngeiddrwydd sydd yn agor ffordd iddo at Dduw, yn agor ffordd i Dduw ei gyfiawnhau, ac yn agor ffordd iddo gael ei ddyrchafu i fywyd newydd.

Grym Gostyngeiddrwydd

I'r meddwl bydol, seciwlar, nid oes gwerth mewn gostyngeiddrwydd. Amod dod ymlaen yn y byd yw bod yn hunanhyderus, cyflwyno delwedd lwyddiannus ohonom ein hunain ac ennill y blaen ar bawb arall. Ond y mae moeseg y deyrnas yn wahanol. *'Darostyngir pob un sy'n ei ddyrchafu ei hun,'* meddai Iesu, *'a dyrchefir pob un sy'n ei ddarostwng ei hun'* (adn. 14). Dengys y ddameg hon y grym sydd mewn gostyngeiddrwydd.

Yn gyntaf, *gostyngeiddrwydd yw hanfod gweddi.* Daw'r Pharisead gerbron Duw â'i galon yn llawn balchder a hunangyfiawnder. O ganlyniad mae ei weddi yn gwbl aneffeithiol. Nid lle dyn, pa mor dda bynnag y bo, yw canmol ei hun o flaen Duw. Daw'r casglwr trethi o flaen Duw mewn ysbryd gwylaidd ac edifeiriol ac y mae ei gri yn cyrraedd calon Duw. Meddai William Barclay, 'Y mae porth gweddi mor isel fel na ellir mynd drwyddo ond ar ein gliniau'.

Yn ail, *gostyngeiddrwydd yw amod iawn berthynas â chyd-ddyn.* Dirmygu pobl eraill a wnâi'r Pharisead, gan ei gymharu ei hun yn ffafriol â phawb arall o'i gwmpas, yn enwedig y casglwr trethi. Nid oedd ganddo'r gwyleidd-dra i gydnabod rhagoriaethau ei gyd-ddynion. Amod pob perthynas iach yw rhoi heibio pob balchder a hunan bwysigrwydd a medru gwerthfawrogi rhinweddau pobl eraill. Meddai hen fynach o'r bymthegfed ganrif, 'Pwy yw'r dyn da? Nid yr un sy'n chwennych canmoliaeth a pharch, ond yr un sy'n canmol a pharchu eraill. Pwy yw'r dyn cryf? Nid yr un sy'n gorchfygu ei wrthwynebwyr, ond yr un sy'n ei orchfygu ei hun. Pwy yw'r dyn doeth? Nid yr un sy'n gwybod mwy na neb arall, ond yr un sy'n dysgu oddi wrth eraill ac yn rhannu ei ddoethineb ei hun â hwy.'

Yn drydydd, *gostyngeiddrwydd yw cyfrinach cynnydd.* Ni welai'r Pharisead fod angen iddo gynyddu mewn ffydd na duwioldeb. Rhestrai ei ragoriaethau o flaen Duw gan ei ganmol ei hun. Nid yw'n gofyn am ddim gan ei fod yn berffaith fodlon arno'i hun. Nid oes lle i wella ar y sawl sy'n credu ei fod eisoes yn berffaith. Ond daw'r casglwr trethi i'r deml yn ymwybodol o'i wendidau a'i feiau ac, o'i ddarostwng ei hun o flaen Duw, fe ddaeth i'r fan lle gallai Duw ei ryddhau oddi wrth ei bechodau, ei feddiannu'n eiddo iddo'i hun a'i ddyrchafu i'w wneud yn ddyn go iawn.

Cwestiynau i'w trafod:

1. Beth yw'r gwahaniaeth rhwng gweddi'r Pharisead a gweddi'r casglwr trethi?

2. 'Bai mawr y Pharisead oedd iddo edrych i lawr a chymharu ei hun â rhywun salach na'i hun, ond rhinwedd y casglwr trethi oedd iddo edrych i fyny a gweld ei hun yng ngoleuni sancteiddrwydd Duw.' Trafodwch.

3. Beth yw nodweddion gwir ostyngeiddrwydd?

Y DDAU FAB

Mathew 21: 28–32

Mae gwers y ddameg hon yn gwbl eglur, sef bod gweithredoedd yn bwysicach na geiriau yn y bywyd Cristnogol. Mae *gwneud* yn bwysicach na *dweud,* boed y dweud yn gyffesu, yn dystio neu yn bregethu. Dywedodd Iesu yn y rhagymadrodd i Ddameg y Ddwy Sylfaen: '*Nid pawb sy'n dweud wrthyf, "Arglwydd, Arglwydd", fydd yn mynd i mewn i deyrnas nefoedd, ond y sawl sy'n gwneud ewyllys fy Nhad, yr hwn sydd yn y nefoedd'* (7: 21). Meddai Epistol Iago wedyn, '*Byddwch yn weithredwyr y gair, nid yn wrandawyr yn unig'* (1: 22). Y prawf o gywirdeb a dilysrwydd ffydd yw'r gweithredoedd sy'n deillio ohoni. Yn *Taith y Pererin,* John Bunyan, dywed Cristion, 'Gwelaf mai un peth yw dywedyd a pheth arall yw gwneuthur ... Enaid crefydd yw y rhan ymarferol. Bydded sicr gennym y bernir dynion yn y farn yn ôl eu ffrwythau. Y pryd hwnnw ni ddywedir, "A gredasoch chwi?" ond "Ai gwneuthurwyr oeddych, ynteu siaradwyr yn unig?"' Dyna wers y ddameg hon am ddau fab. Mae'r naill yn gwrthod cais ei dad i fynd i weithio yn y winllan, ond yn newid ei feddwl ac yn mynd; y llall yn addo mynd i'r winllan, ond ddim yn mynd.

Trwy ba Awdurdod?

Cefndir y ddameg, yn ôl Mathew, yw hanes Iesu'n glanhau'r deml a phenderfyniad yr awdurdodau crefyddol i'w ddwyn i gyfrif am ei ymyriad â'u hawdurdod a'u tiriogaeth hwy. Beth oedd natur yr awdurdod a feddai i ymhél â gweithgareddau'r deml a chan bwy y cafodd y fath awdurdod? Addawodd Iesu eu hateb os atebent hwy ei gwestiwn ef yn gyntaf. Yn eu barn hwy, trwy ba awdurdod y bedyddiai Ioan Fedyddiwr, ai awdurdod dwyfol ynteu awdurdod dynol? Os oedd ei awdurdod o Dduw, ni ddylent fod wedi ei wrthwynebu. Os oedd ei awdurdod o ddyn, yr oedd ganddynt ormod o ofn dweud hynny o flaen y bobl oherwydd yr oedd llawer yn ystyried Ioan yn broffwyd o bwys. Ar ben hynny, yr oedd Ioan wedi hawlio mai ef oedd rhagredegydd y Meseia, a honnai

Iesu mai ef oedd hwnnw. Oni allai'r awdurdodau crefyddol benderfynu ynghylch Ioan, llai fyth y gallent ddeall y gwirionedd am Iesu. Am eiliad bu awdurdodau'r deml yn dawel, ond yna rhoesant yr ateb cloff, *'Ni wyddom ni ddim'* (adn. 27). Nid oedd Iesu felly yn barod i roi unrhyw gyfrif o'i awdurdod y tu hwnt i'r hyn oedd yn eglur yn ei fywyd a'i weithredoedd. Oni allent weld awdurdod dwyfol ar waith yn ei fywyd a'i weinidogaeth, nid oeddynt yn debyg o dderbyn unrhyw beth a ddywedai ar lafar. Gweithredoedd Iesu, nid ei eiriau yn unig, oedd yn tystio i'w awdurdod. Yn y ddameg sy'n dilyn tanlinellodd Iesu y gwirionedd cyffredinol mai gweithredoedd ymarferol oedd yn cyfrif ym mywyd y deyrnas, nid geiriau gwag.

Gair i Grefyddwyr

Yn dilyn ei gwestiwn i'r prif offeiriaid a henuriaid y bobl am eu hagwedd at Ioan Fedyddiwr, gofynnodd Iesu iddynt, *'Beth yw eich barn chwi ar hyn?'* (adn. 28). Gydag ychydig linellau clir tynnodd lun y gallai pawb ei ddychmygu a'i ddeall. Yr oedd gan ryw ddyn ddau fab. Aeth at y cyntaf a gofyn iddo fynd y diwrnod hwnnw i weithio yn y winllan. *'Na wnaf,'* atebodd. Ond yn ddiweddarach newidiodd ei feddwl ac aeth. Gofynnodd yr un peth i'r mab arall ac addawodd hwnnw fynd, ond nid aeth. Pan ofynnodd Iesu, *'Prun o'r ddau a gyflawnodd ewyllys y tad?'* (adn. 31). *'Y cyntaf,'* atebodd ei wrandawyr, gan eu condemnio'u hunain â'r un gair hwnnw.

Rhag ofn nad oeddynt wedi deall ergyd y ddameg ychwanegodd Iesu esboniad. Byddai casglwyr trethi a phuteiniaid, nad oedd eu bywydau yn unol â gofynion y Gyfraith, yn cael mynediad i'r deyrnas o'u blaen hwy, arweinwyr crefyddol oedd mor huawdl yn eu proffes, oherwydd pan ymddangosodd Ioan Fedyddiwr i alw ar bobl i edifarhau a pharatoi ar gyfer dyfodiad y deyrnas, y casglwyr trethi a'r puteiniaid oedd yr union bobl a ymatebodd iddo. Yr oeddynt hwy fel y mab cyntaf a ddywedodd 'Na', ac yn edifarhau. Yr hyn a wnaeth yr arweinwyr crefyddol oedd ei wrthwynebu a gwrthod ei alwad. Edifeirwch oedd pregeth fawr Ioan Fedyddiwr, a rhoddwyd lle amlwg i edifeirwch yn y grefydd Iddewig erioed. Wrth beidio â'i groesawu a'i gefnogi yr oeddynt yn union fel yr ail fab a addawodd fynd i weithio yn y winllan ond a fethodd gadw ei addewid. Yr oeddynt yn awyddus i roi'r argraff o grefyddolder heb ymroi o ddifri i wneud ewyllys Duw. Yn eu barn hwy nid oedd neb yn haeddu cymeradwyaeth Duw yn fwy na hwy, ac nid oedd neb yn eu golwg hwy yn bellach oddi wrth Dduw na'r casglwyr trethi a'r pechaduriaid. Ond yr oedd Iesu am iddynt weld pa mor gyfeiliornus a di-fudd oedd eu proffes grefyddol.

Duw yn Galw

Er mai amcan Iesu oedd dysgu gwers i grefyddwyr ei oes, mae gan y ddameg ei neges i ninnau heddiw. Yn y lle cyntaf, *mae Duw yn galw pobl ym mhob oes i weithio yn ei winllan.* Duw sy'n galw yw Duw y Beibl. Galwodd ar Abraham i adael Ur y Caldeaid a mynd i chwilio am wlad newydd. Galwodd ar Foses i fynd i'r Aifft i arwain ei bobl i ryddid. Galwodd ar Eseia i fynd allan i lefaru ar ei ran. Galwodd ar Amos i ddod i lawr o'r bryniau. Beth oedd Ioan Fedyddiwr ond llais yn llefaru ar ran Duw yn galw pobl i edifeirwch? Trwy gyfryngau dynol y mae Duw yn llefaru ac yn gweithio bob amser. Rhyfeddod crefydd y Beibl yw fod Duw yn caniatáu i fodau dynol wneud cymaint drosto. Yn ei lyfr *The Cost of Discipleship,* dywed Dietrich Bonhoeffer nad yw Cristnogaeth yn ddim ond cred haniaethol heb ymateb ymarferol i ras a galwad Duw. Ni ellir bod mewn perthynas bersonol â chred haniaethol, dim ond â pherson. Ac amod adnabod Duw yw gwrando ar ei alwad, ymateb iddo, ufuddhau iddo a'i wasanaethu. Ac yn ôl Iesu Grist, galwad *Tad* yw galwad Duw. Tad sy'n galw ei feibion i'r winllan: '*Fy mab, dos heddiw a gweithia yn y winllan.'* Nid galwad teyrn nac unben yw hon. Nid oes unrhyw orfodaeth ynddi ond gorfodaeth cariad. Pa bryd bynnag y clywir galwad Duw, rhaid cofio mai Tad sy'n galw, ac os dylid ufuddhau i rywun dylid ufuddhau i'n Tad.

Yn ail, *y mae sawl ffordd o ymateb mewn gair, ac o osgoi ymateb mewn gweithred.* Dyma'r mab sy'n cynrychioli'r archoffeiriaid a henuriaid y bobl. Dywedodd wrth ei dad yr âi i weithio yn y winllan, ond nid aeth. Dyma'r bobl sy'n uchel eu proffes ac yn barod i roi mynegiant i'w cred mewn geiriau, mewn datganiadau llafar, mewn credoau a defodau – ond nid mewn gwaith. Y mae sawl ffordd o ddweud *'Fe af'* i alwad Duw, ac eto osgoi gweithredu ewyllys Duw. Gellir dweud *'Ie'* â'r *meddwl,* sef derbyn gwirionedd yr efengyl yn ymenyddol a bod yn barod i ddadlau drosti a cheisio argyhoeddi eraill o'i gwirionedd. Ond nid yw rhesymu yn unig yn ddigon heb droi'r gwirionedd yn weithredu.

Gellir dweud *'Ie'* â'r *emosiwn* neu'r *teimlad.* Y mae adegau pan yw'r efengyl yn deffro'r teimlad ac yn cyffwrdd pobl yn emosiynol, pan yw profiadau melys o foddhad, o fendith, ac o dangnefedd mewnol yn tywynnu ar yr enaid. Ond y mae Iesu'n ein rhybuddio bod yr emosiwn sy'n datgan yn frwd, *'Fe af'*, heb droi'r teimlad yn weithred, yn ddifudd. A gellir dweud *'Ie'* drwy *addoli.* Y mae addoli yn elfen hollbwysig mewn crefydd fyw, ond y mae gwir addoli yn symbylu pobl i weithredu. I Iesu yr oedd addoliad ac ymddygiad yn mynd law yn llaw. Treuliodd oriau maith yng nghwmni ei Dad nefol, yn disgwyl wrtho, yn ceisio'i nerth ac yn mawrygu ei enw. Ond diben hynny oedd canfod gras a nerth i wneud ewyllys ei Dad o ddydd i ddydd. Roedd gweddi yn sbardun i waith. Mor hawdd yw ein twyllo'n hunain ein bod yn ymarfer ein Cristnogaeth yn ffyddlon trwy ddweud *'Ie'* i Dduw yn ymenyddol, yn emosiynol ac yn ddefosiynol, ac eto heb droi ein hargyhoeddiad, ein profiad a'n haddoliad yn waith dros y deyrnas yn y byd. Perthyn i ddosbarth yr ail fab y mae'r rhai sy'n dweud *'Ie'* ac eto'n osgoi gwaith yn y winllan.

Yn drydydd, *cawn ein hatgoffa o bwysigrwydd edifeirwch yn y bywyd Cristnogol.* Ceir rhai sydd yn gwrthod ymateb i alwad Duw, ond yn edifarhau yn y man. *'Atebodd yntau, "Na wnaf"; ond yn ddiweddarach newidiodd ei feddwl a mynd'* (adn. 29). *'Efe a edifarhaodd'*, a geir yn yr hen gyfieithiad, ac ystyr hynny'n llythrennol yw 'newid meddwl'.

Mae'r ddameg yn cyflwyno inni ddarlun o ddau fath o berson, y naill fel y llall yn ddiffygiol. Nid yw Iesu'n canmol yr un o'r ddau fab. Byddai'r mab delfrydol wedi ymateb yn eiddgar i gais ei dad a mynd ar ei union i weithio yn y winllan. Ond y mae'r un sydd, maes o law, yn newid ei feddwl ac yn mynd i'r winllan yn well na'r un sy'n addo mynd ac yn torri ei addewid. Er i'r mab cyntaf ateb ei dad yn anfoesgar a swta – *'Na wnaf'* – heb air o ymddiheuriad nac esgus, yr hyn a newidiodd y sefyllfa oedd iddo edifarhau. Gofynnodd ei dad am ei gymorth ar unwaith: *'Dos heddiw'* (adn. 28). Roedd yr alwad yn daer. Roedd yr angen yn fawr. Roedd y sefyllfa'n argyfyngus. Mae'n bosibl mai sylweddoli ei fod wedi siomi ei dad ac wedi gwrthod ei helpu yn ei angen a barodd iddo deimlo cywilydd a newid ei feddwl. Y rheswm i Iesu ganmol y mab hwn oedd nid am iddo ddweud 'Na wnaf', ond am iddo edifarhau. Y rheswm pam yr ochrodd Iesu â chasglwyr trethi a phuteiniaid oedd nid am ei fod yn cyd-fynd â'u hymddygiad, ond am iddo weld arwyddion o newid meddwl yn eu plith a pharodrwydd i edifarhau. Mae edifeirwch yn broses o newid meddwl, newid safbwynt, newid bywyd, newid ymddygiad, newid cyfeiriad. Yn fwy na dim, mae'n golygu troi geiriau yn weithredoedd, troi proffes yn ymroddiad, a throi addewidion yn wasanaeth ymarferol dros Dduw a'i deyrnas.

Cwestiynau i'w trafod:

1. A ydych yn cytuno mai neges i grefyddwyr sydd gan Iesu yn y ddameg hon? Beth yw'r neges honno?

2. Beth yw'r gwaith y mae Duw yn ein galw iddo yn ei winllan yn yr eglwys ac yn y byd?

3. Beth yw ystyr edifeirwch a pham y mae mor bwysig yn y bywyd Cristnogol?

Y FFIGYSBREN DIFFRWYTH

Luc 13: 6–9

Galwad daer i edifeirwch, a hynny ar frys, a geir yn y ddameg hon. Daeth Iesu i gyfeirio pobl at ffordd iachawdwriaeth, ond ni ellir canfod y ffordd honno heb barodrwydd i wrando, i edifarhau ac i ymddiried yng ngras a thrugaredd Duw. Mae'r sawl nad yw'n edifarhau yn debyg i ffigysbren nad yw'n dwyn ffrwyth, yn trethu amynedd perchennog y winllan ac yn peryglu ei ddyfodol ei hun. Fel rhagymadrodd i'r ddameg, ceir gan Luc drafodaeth rhwng Iesu a rhai o'i wrandawyr ynglŷn â dau ddigwyddiad erchyll (adn.1–5). O ganlyniad i ryw fath o wrthryfel o du rhai Galileaid, llofruddiwyd nifer ohonynt ar orchymyn Pilat a hwythau ar y pryd yn cyflwyno'u haberthau yn y deml. Cred gyffredin ymysg yr Iddewon oedd fod unrhyw drychineb neu ddioddefaint yn gosb am ddrygioni, ond mae Iesu'n gwrthod y gred honno. Pe bai trychineb neu ddioddefaint yn gosb am bechod, byddai llawer iawn mwy o ddioddef nag sydd yn y byd. Nid yw'r drychineb yn profi bod y Galileaid yn fwy o bechaduriaid na neb arall. Ar yr un pryd, mae Iesu'n rhybuddio'i wrandawyr y gallai'r un dynged ddigwydd i'r genedl gyfan, ac felly y dylent edifarhau.

Cyfeiria wedyn at drychineb arall, sef tŵr yn syrthio yn Siloam a deunaw yn cael eu lladd. Nid oedd y rheini'n waeth troseddwyr na thrigolion eraill Jerwsalem ac nid oedd y digwyddiad yn gosb arnynt am eu drygioni. Nid cosb am bechod yw dioddefaint. Ar yr un pryd, os yw cenedl yn cefnu ar Dduw ac yn mynd ei ffordd ei hun, trychineb a dinistr fydd y canlyniad. Oherwydd hynny rhaid edifarhau a cheisio ewyllys Duw, neu *'fe dderfydd amdanoch oll yn yr un modd'* (adn. 5).

Chwilio am Ffrwyth

Yr un alwad i edifeirwch a bwysleisir yn y ddameg sy'n dilyn (adn. 6–9). Pren gwerthfawr a chynhyrchiol oedd y ffigysbren yn Israel, yn dwyn ffrwyth o leiaf deirgwaith y flwyddyn. Fe'i plennid fel arfer yn gymysg â phrennau eraill mewn gwinllan ac yno câi bob gofal a thriniaeth. Nid oedd disgwyl ffrwyth oddi ar ffigysbren am y tair blynedd cyntaf, ond wedi hynny yr oedd yn rhesymol disgwyl ffrwyth oddi arno. Ni ddywedir beth yw oed y pren yn y ddameg, ond nid oedd wedi dwyn ffrwyth ers tair blynedd. Meddai perchennog y winllan wrth y gwinllannydd, *'Ers tair blynedd bellach yr wyf wedi bod yn dod i geisio ffrwyth ar y ffigysbren hwn, a heb gael dim'* (adn. 7). Ceir adlais yma o gŵyn Duw yn erbyn ei winllan, Israel, nad yw ond yn dwyn grawnwin drwg er iddi gael pob gofal, a'r bygythiad y bydd yn ei difrodi, yn chwalu ei mur ac yn ei sathru dan draed. Byddai'r ddameg yn sicr yn atgoffa gwrandawyr Iesu o broffwydoliaeth Eseia (Es. 5: 1–7). Digon naturiol yw i'r perchennog deimlo mai di-fudd yw cadw'r ffigysbren gan nad yw'n gwneud dim ond tynnu maeth o'r pridd ac yn atal tyfiant y prennau eraill. Gan fod daear dda yn brin a chan fod y ffigysbren yn cymryd lle planhigion eraill, gwell fyddai bod hebddo. Ond nid yw'r gwinllannydd, fu'n gofalu am y pren, yn anobeithio'n llwyr yn ei gylch. Meddai wrth ei feistr, *'Gad iddo eleni eto'* (adn. 8). Gall ddwyn ffrwyth y tro nesaf, wedi iddo docio ychydig ar ei wreiddiau a rhoi gwrtaith o'i gwmpas. Os bydd yn dwyn ffrwyth wedyn, y flwyddyn nesaf, bydd popeth yn dda. Oni cheir ffrwyth ar ôl hynny, yna gall y perchennog ei dorri i lawr.

Neges y ddameg yw fod y genedl yn wynebu argyfwng. Daeth Duw i blith ei bobl yn ei Fab, Iesu Grist, a chânt eu barnu yn ôl eu hymateb i Iesu ac i genadwri'r efengyl. Y mae rhai wedi ymateb iddo ac wedi cael mynediad i fywyd y deyrnas. Ond y mae llawer mwy yn gyndyn i ymateb ac eraill yn elyniaethus iddo. Ni ellir osgoi'r posibilrwydd y bydd dinistr yn dilyn ac y bydd Duw yn eu 'torri i lawr'. Fel yna y deallai'r Eglwys Fore oruchafiaeth y Rhufeiniaid a dinistr Jerwsalem yn 70 OC Yn y cyfamser rhoddir i'r genedl ail gyfle. Y mae Duw yn barod i adael iddi *'am eleni eto',* ac ymestyn y cyfle iddi edifarhau a derbyn ffordd iachawdwriaeth. Ond er nad yw Duw'n troi ei gefn yn llwyr ar Israel tra bo gobaith ennill y bobl i ffordd y deyrnas, fe ymddengys oddi wrth y ddameg fod terfyn i'w amynedd. Yr un yw'r her i ninnau. Galwad barhaus yr efengyl yw ar i bobl ymateb i Dduw ac i'r bywyd newydd a gynigir yn Iesu Grist. Nid yw'n rhy hwyr, ac eto does dim amser i oedi a chloffi rhwng dau feddwl.

Efengyl yr Ail Gyfle

Neges ganolog y ddameg yw fod Duw yn apelio arnom i edifarhau. Edifeirwch yw'r ffrwyth a ddisgwylir oddi wrth Israel, ffigysbren Duw, ac oddi wrthym ninnau. Ond y mae yn y ddameg hefyd nifer o is-wersi pwysig.

Yn gyntaf, *y pwysigrwydd i'n crefydd a'n bywyd ddwyn ffrwyth.* Fel mae perchennog y winllan yn disgwyl ffrwyth oddi ar y ffigysbren, y mae Duw yn disgwyl i ninnau ddwyn ffrwyth iddo yn ein bywyd yn y byd. Yn ei rybudd yn erbyn gau broffwydi, meddai Iesu, *'Wrth eu ffrwythau yr adnabyddwch hwy'* (Math. 7: 16, 20). Wrth iddo ddisgrifio'i hun fel y wir winwydden dywed fod rhaid i'r canghennau ddwyn ffrwyth. Oni wnânt, cânt eu casglu *'i'w taflu i'r tân a'u llosgi'* (Ioan 15: 6). 'That is the fate of good-for-nothing religion,' meddai'r esboniwr A. M. Hunter. A da-i-ddim yw'r grefydd honno nad yw'n dwyn ffrwyth mewn bywydau da, defnyddiol, ac mewn gweithredoedd o gariad a thosturi. Roedd pwyslais y Phariseaid a'r ysgrifenyddion bron yn gyfan gwbl ar *wreiddiau* crefydd: medru olrhain eu hachau yn ôl at Abraham, cadw Cyfraith Moses yn ei holl fanylder, cadw'n ffyddlon at ddefodau a thraddodiadau'r tadau. Ond i Iesu nid oes gwerth i'r gwreiddiau onid ydynt yn tyfu canghennau iach a'r rheini'n dwyn ffrwythau da. Yr hyn sy'n cyfrif yw cymeriadau da yn cynhyrchu gweithredoedd da.

Yn ôl ansawdd cymeriadau a gweithredoedd crefyddwyr y mae'r byd yn penderfynu o blaid neu yn erbyn crefydd. Prawf moesol, ymarferol yw'r un terfynol yng ngolwg Iesu. Mae hynny'n sicr yn wir yn yr oes bragmataidd hon. Gofynnir am bopeth beth yw ei ddiben, beth a gynhyrchir ganddo, i beth y mae'n dda. A gosodir yr un llinyn mesur ar grefydd. Gofynnodd y pregethwr enwog C. H. Spurgeon i forwyn fach dduwiol sut y gwyddai ei bod wedi ei hachub. Ei hateb oedd, 'O, nawr rwy'n sgubo o *dan* y matiau, nid rownd nhw!' Ansawdd ei gwaith oedd yn profi gwirionedd ei phroffes. Ac meddai William Morris am Tom Nefyn,

> Ac o'i bregethau i gyd
> Y fwyaf oedd ei fywyd.

Ei fywyd o wasanaeth a chymwynasgarwch a'i gonsýrn am bobl, sef ffrwyth ei gred a'i ffydd, yn fwy na'i bregethau, oedd yn argyhoeddi. Rhaid i'n bywyd a'n crefydd ninnau ddwyn ffrwyth, mewn edifeirwch ac mewn daioni, gwasanaeth a chymwynasgarwch.

Yn ail, *yr addewid o ail gyfle.* Er bod tair blynedd wedi mynd heibio a'r ffigysbren heb ddwyn ffrwyth, rhoddir cyfle arall iddo. Arwydd o ras ac amynedd Duw yw ei fod yn oedi cyn barnu a chosbi ei bobl ddihidio. Nid ydynt yn teilyngu ail gyfle, ond dyhead Duw yw eu gweld yn ymateb i efengyl iachawdwriaeth. Y mae amynedd yn elfen hollbwysig mewn cariad, a hanes ymwneud amyneddgar Duw â'i bobl yw cynnwys y Beibl. *'Mynegaf ffyddlondeb yr Arglwydd, a chanu ei glodydd,'* meddai'r proffwyd Eseia, *'am y cyfan a roddodd yr Arglwydd i ni, a'i ddaioni mawr i dŷ Israel, am y cyfan a roddodd iddynt o'i drugaredd ac o lawnder ei gariad di-sigl'* (Es. 63:7), sef ei gariad amyneddgar, a hynny er gwaethaf anffyddlondeb a gwrthryfel y genedl. Fel pob rhiant sy'n rhoi ail gyfle, a thrydydd a phedwerydd cyfle a mwy, i blentyn anystywallt yn y gobaith y bydd ef neu hi yn newid ei ffordd, rhoi cyfle newydd i'w bobl drachefn a thrachefn a wna'r Duw amyneddgar yn y Beibl. Cydio yn yr un syniad a wna Morgan Rhys yn ei emyn 'Dewch, hen ac ieuainc, dewch', wrth iddo alw ar yr ieuainc sydd heb adnabod Iesu a'r hen sydd wedi gwrthgilio, i ddod ato, a hynny ar sail:

Rhyfedd amynedd Duw
ddisgwyliodd wrthym cyd.

Efengyl yr ail gyfle yw efengyl Iesu Grist.

Yn drydydd, *y sicrwydd o gymorth a chefnogaeth y gwinllannydd.* Er i'r ffigysbren fethu â dwyn ffrwyth, mae'r gwinllannydd yn apelio ar ei ran gan gredu bod gobaith iddo ffrwytho yn y dyfodol. Y mae am roi sylw arbennig iddo a phalu o'i gwmpas a'i wrteithio. Ein 'gwinllannydd' a'n cefnogwr ni yw'r Arglwydd Iesu. Yn ystod ei weinidogaeth gwelai Iesu botensial mewn pobl yn disgwyl i gael ei ddatblygu. Gwelai bosibilrwydd craig yn y Simon anwadal. Gwelai y gallai Iago ac Ioan ddatblygu i fod yn dystion huawdl i'r efengyl, yn 'Feibion y Daran' (Marc 3: 17). Gwelai bosibilrwydd dyn da yn Sacheus, a phosibilrwydd cymeriad glân ym Mair Magdalen. Yn yr un modd, dim ond inni roi cyfle iddo, mae Iesu'n medru'n cynorthwyo ninnau i dyfu ac aeddfedu mewn ffydd, cariad a daioni ac ymgyrraedd at yr hyn y mae am inni fod.

Yn bedwerydd, *y rhybudd o fethiant terfynol.* Oni fydd y ffigysbren yn dwyn ffrwyth ymhen blwyddyn, bydd yn cael ei dorri i lawr. Canlyniad esgeuluso unrhyw ddawn neu allu cynhenid yw ei golli. Dyna un o ddeddfau bywyd. Os nad yw cerddor yn ymarfer ei ddawn, bydd yn ei cholli. Os nad yw artist yn perffeithio'i grefft, bydd yn colli'r grefft honno. Os bydd person yn byw mewn tywyllwch yn ddigon hir, bydd yn colli ei olwg. Yn yr un modd, mae'r sawl sydd dro ar ôl tro yn gwrthod gwahoddiad a her yr efengyl yn y diwedd yn colli'r gallu a'r awydd i ymateb. Nid Duw sy'n eu condemnio; maent yn eu condemnio'u hunain. Ond neges obeithiol y ddameg yw *'fod drws trugaredd heb ei gau',* a bod Duw yn rhoi cyfle newydd inni'n barhaus i ymateb iddo, a chyda chymorth Crist y gwinllannydd, gallwn barhau i dyfu ac aeddfedu a dwyn ffrwyth er ei ogoniant.

Cwestiynau i'w trafod:

1. *Sut mae deall y berthynas rhwng drygioni a dioddefaint?*

2. *A yw'n wir dweud bod y byd o'n cwmpas yn barnu crefydd yn ôl y 'ffrwythau' a welant ym mywydau crefyddwyr?*

3. *Beth yw ystyr dweud mai 'efengyl yr ail gyfle' yw efengyl Iesu Grist?*

YR YNFYTYN CYFOETHOG

Luc 12: 13–21

Man cychwyn y ddameg hon yw cais gan *'rhywun o'r dyrfa'* i Iesu ymyrryd mewn anghydfod rhwng dau frawd dros ewyllys. Nid peth anghyffredin oedd i bobl fynd at rabi neu athro crefyddol i geisio dyfarniad mewn achosion cyfreithiol, a gellir dychmygu y byddai helyntion dros ewyllysiau yn gyffredin iawn yn yr oes honno fel heddiw. Ond gwrthod y cais y mae Iesu. Y mae lle i gyfreithiau a chyfreithwyr, ond nid yw am ymhél â materion o'r faith. *'Ddyn, pwy a'm penododd i yn farnwr neu yn gymrodeddwr rhyngoch?'* (adn. 14). Nid dweud y mae Iesu ei fod yn anghymwys i roi barn ar y mater, ond fod ganddo bethau pwysicach i'w dysgu na sut i rannu etifeddiaeth deuluol rhwng brodyr cecrus! Mae'n gweld yn glir mai problem yr holwr yw cybydd-dod ac y mae'n manteisio ar y cyfle i'w rybuddio o beryglon trachwant.

Bywyd a Meddiannau

Nid yw Iesu'n dweud yn unman fod mwynhau pethau materol yn ddrwg. Yr oedd ef ei hun yn medru mwynhau bywyd i'r eithaf. Yn wir, fe'i cyhuddwyd ef a'i ddisgyblion o roi gormod o fri ar bethau materol: *'Y mae disgyblion Ioan yn ymprydio yn aml ac yn adrodd eu gweddïau, a rhai'r Phariseaid yr un modd, ond bwyta ac yfed y mae dy ddisgyblion di'* (Luc 5: 33). A gwyddai Iesu'n dda am y cyhuddiadau hyn: *'Y mae Mab y Dyn wedi dod, un sy'n bwyta ac yn yfed, ac yr ydych yn dweud, "Dyma feddwyn glwth"* (Luc 7:34). O gredu mai Duw yw creawdwr popeth, ni all arian na phethau materol fod yn ddrwg ynddynt eu hunain. Y mae'r drwg yn ein hagwedd ni tuag atynt, yn enwedig os ydym yn eu camddefnyddio neu'n meddwl gormod ohonynt ac yn gadael iddynt reoli'n bywydau.

Yr eithaf arall yw mawrygu tlodi. Bu tuedd erioed yn y traddodiad Cristnogol i ystyried tlodi yn rhinwedd, ond nid oes sail i hynny yn yr Efengylau. Mae tlodi yn diraddio person, yn tanseilio'i urddas ac yn gwneud bywyd yn faich ac yn boendod. Gwelir hynny yng nghyflwr enbyd trigolion gwledydd tlotaf y byd. Does dim rhithyn o rinwedd na sancteiddrwydd mewn gorfod crafu byw ar £25 y flwyddyn fel rhai o dlodion gwledydd Affrica ac India.

Nid yw Iesu'n dyrchafu tlodi. Nid yw ychwaith yn condemnio cyfoeth fel y cyfryw. Ond y mae'n rhybuddio'i wrandawyr rhag peryglon trachwant ac ariangarwch, a hynny oherwydd *'nid yw bywyd neb yn dibynnu ar ei feddiannau'* (adn. 15). Camgymeriad mawr yw credu mai wrth ymgyfoethogi a phentyrru pethau materol y mae canfod cyfrinach bywyd llawn. Y rheswm am hynny yw fod 'bywyd' a 'phethau materol' yn hanfodol wahanol eu natur ac yn bodoli ar ddwy lefel wahanol. Nid y gair cyffredin am fywyd anianol (*bios* neu *psyche)* a ddefnyddir yn yr adnod hon, ond *zöe*, a gysylltir â bywyd ysbrydol. Ystyr yr adnod, felly, yw nad mewn helaethrwydd cyfoeth na meddiannau materol y mae darganfod bywyd ysbrydol, a hynny am nad yw pethau materol yn perthyn i'r un 'byd' â bywyd yr enaid. Daw'r ystyr yn glir yng nghyfieithiad y *Good News Bible: 'A person's true life is not made up of the things he owns, no matter how rich he may be.'* Camgymeriad yr Ynfytyn Cyfoethog oedd iddo dybio bod ei fywyd yn rhan o'i feddiannau ac felly y gallai wella ansawdd ei fywyd a chanfod llawenydd a boddhad wrth bentyrru pethau materol.

Ymson y Gŵr Cyfoethog

Yn y ddameg cawn glywed y gŵr cyfoethog hwn yn cynnal ymson ag ef ei hun. Gan ei fod yn gyfoethog eisoes a phopeth ganddo at drin ei dir, nid rhyfedd i'w gynhaeaf toreithiog ei osod mewn cyfyng-gyngor. Nid oedd ganddo ddigon o le i storio'i gynnyrch. Fel amaethwr a gŵr busnes hirben ymresymodd â'i hun a phenderfynodd dynnu i lawr ei hen ysguboriau ac adeiladu rhai mwy. Wedi hynny gallai ymddeol gyda digon ganddo wrth gefn am lawer o flynyddoedd fel y gallai fforddio treulio gweddill ei oes yn bwyta, yn yfed a bod yn llawen. Ond torrodd Duw ar draws ei ymson: *'Heno'* – cyn bod amser i ddechrau tynnu i lawr yr ysguboriau, ac yn sicr cyn bod amser i adeiladu a helaethu ei stordai – *'y mynnir dy einioes yn ôl gennyt'* (adn. 20). Anghofiodd nad ei eiddo ei hun oedd ei fywyd, ond eiddo Duw. A chan i Dduw gymryd ei fywyd oddi wrtho, gwelir pa mor ynfyd oedd ei dybiaeth y gallai ei feddiannau sicrhau iddo fywyd llawn a llawen *'ar gyfer blynyddoedd lawer'* (adn. 19).

Nid oedd dim yn newydd na gwreiddiol yn y ddameg hon. Gellir canfod storïau tebyg iddi mewn ffynonellau eraill, hen a newydd. Ceir geiriau sydd bron yn adleisio geiriau Iesu yn Llyfr Ecclesiasticus (11: 18–19) yn yr Apocryffa:

> *Gall dyn ymgyfoethogi trwy ofalu a chynilo,*
> *a dyna'r cwbl a gaiff yn gyflog.*
> *Pan ddywed, "Yr wyf wedi ennill fy ngorffwys;*
> *bellach caf fyw ar fy meddiannau",*
> *nid yw'n gwybod faint o amser sydd i'w dreulio*
> *cyn marw a gadael ei eiddo i eraill.*

Wrth lefaru'r ddameg hon mae Iesu'n adrodd stori sy'n hen gyfarwydd i bob oes a phob cenhedlaeth.

Y Pethau a Anghofiwyd

Nid oes unrhyw awgrym yn y ddameg fod y gŵr goludog wedi casglu ei olud yn anonest. Yn wir, y mae llawer o bethau da y gellir eu dweud amdano. Bu'n amaethwr cydwybodol, yn ddoeth a darbodus yn ei ddefnydd o'i arian, yn cadw cyfrifon yn fanwl ac yn cynllunio'n ofalus at y dyfodol. Ym mhob cylch o fywyd rhoddir pwyslais ar bwysigrwydd cynllunio at y dyfodol – mewn addysg, masnach, diwydiant, gwleidyddiaeth, meddygaeth ac yn ein bywydau personol. Eto, fe elwir y gŵr trefnus, darbodus hwn yn ynfytyn. Oherwydd iddo dybio bod ansawdd a hyd ei fywyd ynghlwm wrth ei olud a'i feddiannau, fe wnaeth rai camgymeriadau dybryd.

Yn gyntaf, *fe anghofiodd am ei gyd-ddyn*. Sôn amdano'i hun ac am ei eiddo'i hun y mae'r gŵr cyfoethog drwy gydol y ddameg: *fy* nghnydau, *fy* ysguboriau, *fy* holl ŷd a'm heiddo, *fy* hun. Ef ei hun yw canolbwynt ei fywyd ac nid oes neb na dim arall yn cyfrif. Byddai cân boblogaidd Madonna, *'My, my, my ...'* yn gweddu i'r dim iddo! Anghofiodd fod cyfrifoldeb cymdeithasol yn mynd law yn llaw â chyfoeth. Nid *'Beth a wnaf?'* yw'r cwestiwn i'w ofyn ynghylch cyfoeth, ond *'Beth a ddylwn ei wneud ag ef? Sut ddylwn ei ddefnyddio?'* Diolch am bobl gyfoethog a ddefnyddiodd eu cyfoeth i ddwyn cymorth a breintiau i rai llai ffodus na hwy eu hunain. A diolch am y miloedd ar filoedd o bobl gyffredin sy'n rhoi'n hael tuag at ddileu tlodi drwy fudiadau fel Cymorth Cristnogol. Ynfydrwydd a dallineb y gŵr cyfoethog oedd na wyddai beth i'w wneud â'r cynnydd a roddodd Duw yn ymddiriedaeth iddo, pan oedd digonedd o leoedd gwag a fyddai'n falch o dderbyn popeth oedd ganddo dros ben. Yn ei esboniad ar Efengyl Luc, dywedodd Ambrose, esgob Milan yn y bedwaredd ganrif, fod digon o le yng nghypyrddau'r tlodion, yn nhai y gweddwon ac yng ngenau'r babanod i'r gŵr goludog gadw'i eiddo a'i olud. Ond yr oedd yn ynfytyn oherwydd iddo anghofio am ei gyd-ddyn tlawd ac anghenus.

Yn ail, *fe anghofiodd fygythiad marwolaeth.* Roedd y gŵr goludog mor hy a hyderus fel iddo ddweud wrtho'i hun fod ganddo ddigonedd o arian ac eiddo *'ar gyfer blynyddoedd lawer'* (adn. 19). Ond gwnaeth y camgymeriad o gredu bod ganddo hefyd ddigonedd o amser. Nid yw o fewn gallu dyn i bennu hyd ei oes. Rhaid derbyn y daw marwolaeth yn ei amser ei hun ac yn ei ffordd ei hun. Y mae angau yn rhan o drefn bodolaeth, yn ffaith na ellir ei hanwybyddu. Dadl rhai anffyddwyr yw mai ofn angau yw un o wreiddiau crefydd. Ond y gwir yw mai crefydd sydd yn cydnabod realiti angau a'i le o fewn rhediad bywyd. O golli ffydd a chefnu ar Dduw y mae marwolaeth yn troi yn ddychryn, yn elyn, yn dabŵ i'w osgoi, a phobl yn eu twyllo'u hunain nad yw'n bod. Fel y gŵr goludog, mae'r gŵr seciwlar modern yn euog o'r un ynfydrwydd o anghofio bygythiad marwolaeth.

Yn drydydd, *fe anghofiodd fod cyfoeth ysbrydol yn bwysicach na chyfoeth materol.* Ffoliineb y gŵr hwn oedd iddo roi ei holl fryd ar gasglu cyfoeth materol. Pan ymyrrodd angau â'i gynlluniau torrwyd y berthynas rhyngddo a'i eiddo. Rhwygwyd y cyswllt rhwng y dyn a'i feddiannau, rhwng yr hunan a'i olud, gyda'r canlyniad nad oedd ganddo gyfoeth o unrhyw werth i'w gynnal yn wyneb angau. Anghofiodd fod ei fywyd yn perthyn i lefel wahanol i lefel pethau materol. Yn yr hen gyfieithiad y mae'r gŵr goludog yn cyfarch ei enaid: *'Fy enaid, y mae gennyt dda lawer wedi eu rhoi i gadw dros lawer o flynyddoedd.'* Mae *enaid* yn cyfeirio at y ddawn i ymgyrraedd at yr ysbrydol a'r tragwyddol – y gwir ddyn o'i fewn – i ymgyrraedd at berthynas â Duw. Anghofiodd hwn am anghenion ei enaid, a phan ddaeth angau sydyn ac annisgwyl aeth ei enaid i un cyfeiriad a'i olud i gyfeiriad arall. Mae Iesu'n diweddu'r ddameg â'r rhybudd, *'Felly y bydd hi ar y rhai sy'n casglu trysor iddynt eu hunain a heb fod yn gyfoethog gerbron Duw'* (adn. 21). Y trysor pennaf yw Iesu Grist ei hun, ac yn ei sgil daw holl freintiau a grasusau'r efengyl, na all angau ysbeilio yr un ohonynt.

Cwestiynau i'w trafod:

1. *Beth yw achos trachwant a beth yw ei beryglon?*

2. *A ydych yn cytuno bod 'bywyd' a 'phethau materol' yn bodoli ar ddwy lefel wahanol?*

3. *Beth a olygir wrth drysorau ysbrydol?*

Y DDAU DDYLEDWR

Luc 7: 36–50

Achlysur adrodd y ddameg hon oedd cyfarfyddiad Iesu â gwraig yn nhŷ Simon y Pharisead. Yn nisgrifiad Luc o'r digwyddiad, gwelwn ddawn arbennig yr awdur i gyflwyno darlun mewn dull syml, cynnil ac effeithiol, a hynny er mwyn cyflwyno dysgeidiaeth Iesu ar faddeuant. Ceir yma sefyllfa ddramatig: Simon, y Pharisead balch, a gwraig o'r dref a ddisgrifir fel 'pechadures' yn cydgyfarfod yng nghwmni Iesu.

Eneinio Traed Iesu

Wyddom ni ddim pam y gwahoddodd Simon Iesu i'w dŷ. Nid yw'n debygol ei fod yn gyfaill agos nac yn ddisgybl iddo. Hwyrach mai chwilfrydedd oedd y cymhelliad, neu awydd i holi Iesu a dod i wybod mwy amdano. Pan yw Iesu'n lled-orwedd wrth y bwrdd i fwyta yn ôl y dull cyffredin yn y Dwyrain, daw gwraig i mewn a chanddi *'ffiol alabaster o enaint'* (adn. 37). Nid yw Luc yn ei henwi, dim ond ei disgrifio fel *'pechadures'*. Er bod traddodiad yn ei chysylltu â Mair Magdalen, does dim sail i'r traddodiad hwnnw. Dechreuodd y wraig olchi traed Iesu â'i dagrau, eu cusanu, a'u hiro â'r enaint. Fe â'r wraig ar draws pob confensiwn ac ymddengys ei gweithred yn anweddus i lygaid beirniadol, parchus Simon a'i ffrindiau. Mae Iesu'n derbyn gweithred y wraig heb ddweud unrhyw beth wrthi. Ond gwelodd Simon y cwbl, a synnai fod Iesu'n gadael i'r wraig hon gyffwrdd ag ef: *'Pe bai hwn yn broffwyd, byddai'n gwybod pwy yw'r wraig sy'n cyffwrdd ag ef'* (adn. 39). Yna daw'r gwahaniaeth i'r amlwg rhwng agwedd Iesu tuag at y wraig ac agwedd Simon, a gredai fod pechod yn cau allan bob pechadur rhag unrhyw gymdeithas â Duw ac â phobl dda.

Beth bynnag yw agwedd Simon, mae Iesu'n dirnad *'sut un yw hi'* yn llawer mwy trylwyr na'r Pharisead. *'Pechadures yw hi'* (adn. 39): dyna farn Simon amdani. Gwyddai Iesu'n iawn mai pechadures oedd hi, ond pechadures wedi profi grym maddeuant, a'i diolchgarwch am gael ei rhyddhau o'i phechod yn mynegi ei hun mewn bwrlwm o gariad tuag at Iesu. O'i phrofiad o faddeuant Duw fe flasodd y wraig hon gymod a thangnefedd mewnol. Ar yr un pryd mae Iesu'n dirnad cyflwr meddwl ac enaid Simon yn ogystal. Cyferchir ef wrth ei enw, *'Simon, mae gennyf rywbeth i'w ddweud wrthyt'* (adn. 40), ac wrth adrodd Dameg y Ddau Ddyledwr y mae Iesu'n dinoethi ei ddiffyg cariad a'i fethiant i gydnabod grym y maddeuant dwyfol sy'n codi person ar ei draed drachefn ac yn ei alluogi i ailafael mewn bywyd yn llawen.

Y Benthyciwr Arian a'i Ddyledwyr

Cynhwysir y ddameg fel y cyfryw o fewn tair adnod (adn. 41– 43). Yr oedd dau ddyledwr wedi benthyg symiau o arian. Pum cant o ddarnau arian oedd dyled un, a hanner cant o ddarnau arian oedd dyled y llall, ond nid oedd gan y naill na'r llall fodd i dalu'n ôl i'r benthyciwr. Maddeuodd y benthyciwr i'r ddau fel ei gilydd: *'Gan nad oeddent yn gallu talu'n ôl, diddymodd y benthyciwr eu dyled i'r ddau'* (adn. 42). Ystyr y gair *diddymu* yn y cyswllt hwn yw 'rhad-roddi' ac y mae'n tarddu o'r gair Groeg am ras *(charis).* Golyga fod y benthyciwr yn ymddwyn yn rasol a bod y benthyciad bellach yn rhodd. Yr un gair a ddefnyddir i ddynodi gras Duw yn maddau pechodau, ac ystyr y gair cyffredin am 'faddau' yw 'gollwng'. Gollyngir y ddyled, ac yn yr un modd gollyngir pechodau heb eu cyfrif mwy yn erbyn y dyledwr neu'r pechadur. A hen ystyr y gair 'maddau' yn Gymraeg oedd 'gollwng', neu 'adael', neu 'roi ymaith'. Nid symiau bychain oedd y dyledion, a gweithred hael oedd eu diddymu. Mewn ateb i gwestiwn Iesu – p'run o'r ddau fydd yn caru'r benthyciwr caredig fwyaf? – meddai Simon, *'Fe dybiwn i mai'r un y diddymwyd y ddyled fwyaf iddo'* (adn. 43). Yng ngoleuni ateb Simon mae Iesu'n dangos gwir ystyr gweithred y wraig. Y dyledwr y maddeuir y mwyaf iddo sydd yn caru'r benthyciwr fwyaf. Prawf ei bod wedi derbyn maddeuant hael yw mynegiant y wraig o gariad mor fawr.

Yna ceir cyfres o wrthgyferbyniadau cofiadwy, bron ar gynllun cyfatebiaeth farddonol Hebreig: rhwng anfoesgarwch Simon a gwasanaeth cariadus y wraig. Ni roddodd Simon ddŵr i Iesu pan ddaeth i mewn i'w dŷ, ond fe wlychodd hon ei draed â'i dagrau a'u sychu â'i gwallt. Ni roddodd Simon gusan i Iesu, ond ni pheidiodd hon â chusanu ei draed. Ni thrafferthodd Simon i iro pen Iesu ag olew, ond irodd hon ei draed ag enaint. Er ei holl hunangyfiawnder a'i barchusrwydd ffug nid oedd Simon wedi bod yn ddigon cwrtais i estyn y croeso arferol i Iesu fel rabi. Roedd y *wraig,* ar y llaw arall, wedi mynd o'i ffordd i ddangos ei chariad iddo – cariad oedd yn deillio o'r maddeuant a brofodd.

Maddeuant a Chariad

Mae'n amlwg oddi wrth rediad y ddameg nad *oherwydd* ei chariad y derbyniodd y wraig hon faddeuant, ond yn hytrach ei bod yn caru o *ganlyniad* i'w phrofiad o faddeuant. Ceir awgrym yn adn. 37 ei bod eisoes yn gwybod am Iesu. Hwyrach ei bod wedi gwrando arno a'i fod wedi cael dylanwad ar ei bywyd ac wedi ei sicrhau o faddeuant Duw. Oherwydd iddi fynegi ei chariad yn y weithred o eneinio traed Iesu, dangoswyd ei bod wedi derbyn maddeuant. Dyna yw neges ganolog y ddameg, sef bod y sawl y maddeuir llawer iddo yn caru'n fawr. Mae holl agwedd y wraig yn mynegi ei bod wedi derbyn maddeuant a'i bod mewn perthynas newydd â Duw trwy Iesu Grist, ac wedi teimlo llawenydd a gwefr y profiad. Mewn cyferbyniad, nid yw Simon yn gweld bod fawr o angen maddeuant arno, ac felly nid yw'n gallu rhannu yn llawenydd a diolchgarwch y wraig. '*Os mai ychydig a faddeuwyd i rywun, ychydig yw ei gariad'* (adn. 47), meddai Iesu. Nid bod Duw yn maddau ychydig yn unig, ond bod Simon yn teimlo mai ychydig sydd i'w faddau yn ei achos ef. Ei agwedd hunangyfiawn sy'n ei rwystro rhag gweld yr angen am faddeuant ac o ganlyniad nid yw'n gallu caru na llawenhau.

Neges ganolog yr efengyl yw dysgeidiaeth Iesu ar faddeuant pechodau. Dywed y seiciatrydd arloesol Carl Gustav Jung y gellid crynhoi'r ffydd Gristnogol mewn un frawddeg: 'Credaf yn Nuw sy'n maddau pechodau trwy Iesu Grist'. Fel seiciatrydd, credai fod y profiad o faddeuant yn allweddol i dawelwch meddwl ac i iawn berthynas pobl â'i gilydd.

Maddeuant a'i Effeithiau

Cwyd rhai pwyntiau o bwys o'r ddameg ac o'r stori sy'n gefndir iddi. Yn gyntaf, *rhodd Duw yw maddeuant.* Ni all unrhyw rinwedd sydd ynom *ennill* maddeuant Duw. Ni allai'r dyledwyr wneud dim i ennill caredigrwydd y benthyciwr. Diddymu eu dyledion yn rasol ac yn ddi-amod a wnaeth, heb eu cyfrif mwy yn eu herbyn.

A dyna'n union a wna Duw, sef dileu pechodau pawb sy'n troi ato mewn edifeirwch a ffydd. Nid *amod* maddeuant Duw yw edifeirwch. Y mae Duw yn faddeugar yn ei agwedd at bob un o'i blant. Ond edifeirwch sy'n dwyn rhin a grym maddeuant Duw i'r enaid. Y mae holl agwedd y wraig yn nhŷ Simon yn dangos ei bod wedi derbyn y rhodd o faddeuant ac wedi dod i berthynas newydd â Duw trwy Iesu Grist. Llifodd maddeuant i'w bywyd drwy ei hedifeirwch. Meddai Iesu wrthi, '*Y mae dy bechodau wedi eu maddau*' (adn. 48). Yna, ychwanega, '*Y mae dy ffydd wedi dy achub di; dos mewn tangnefedd*' (adn. 50). Ffydd edifeiriol a barodd i faddeuant Duw weithredu yn ei bywyd gan ddileu ei phechodau a'i llenwi â thangnefedd a llawenydd.

Yn ail, *ffrwyth maddeuant yw cariad, llawenydd a thangnefedd.* Nid proses negyddol o ddiddymu pechodau yn unig yw maddeuant. Y mae'n cynhyrchu ymdeimlad o gariad at eraill, ac o lawenydd a thangnefedd oddi mewn. Yn dilyn y ddameg y mae Iesu'n gofyn i Simon pa un o'r ddau ddyledwr fydd yn caru'r benthyciwr fwyaf? Ei ateb wrth gwrs yw, '*Fe dybiwn i mai'r un y diddymwyd y ddyled fwyaf iddo*' (adn. 43). Mae maddau'r ddyled yn esgor ar gariad. A mynegi ei chariad a'i llawenydd a wna'r wraig yn y weithred o eneinio traed Iesu â'r enaint gwerthfawr. Yn yr un modd, ymateb naturiol y sawl sy'n gwybod bod Duw wedi maddau ei bechodau yw caru Duw a diolch iddo. Gan nad yw Simon druan yn ymwybodol o'r angen am faddeuant, ac nad yw'r profiad o faddeuant yn real iddo, y mae ei agwedd yn parhau'n feirniadol a rhagfarnllyd. Nid yw'n gallu deall na gwerthfawrogi'r newid mawr sydd wedi digwydd ym mywyd y wraig 'bechadurus' sydd wedi derbyn yn llawen faddeuant Duw.

Yn drydydd, *y profiad o faddeuant sy'n lliwio ein hagwedd at bobl eraill.* Gwelai'r dyledwyr y benthyciwr arian mewn goleuni newydd a chanfod ynddo gymwynaswr a ffrind. Ond gan nad oedd Simon wedi profi grym gwaredigol maddeuant yn ei fywyd ei hun, daliodd yn feirniadol a chul ei agwedd at y wraig 'bechadurus'. '*Pechadures yw hi*' (adn. 39). Dyna ei ddyfarniad ac nid oedd y ffaith iddi brofi maddeuant Duw a newid ei bywyd yn newid dim ar farn Simon amdani. Gofynnodd Iesu i Simon, '*A weli di'r wraig hon?*' (adn. 44). Hynny yw, a wyt ti'n ei gweld hi fel y *mae* mewn gwirionedd, yn un a fu unwaith yn bechadures ond sydd bellach yn berson gwahanol? Tuedd Simon a'i gyd-Phariseaid oedd gosod pobl mewn categorïau: y cyfiawn a'r pechaduriaid, Iddewon a chenedl-ddynion, y duwiol a'r halogedig. Wedi iddo osod y wraig yn y categori o 'bechadures', gwyddai'n union sut i ymddwyn tuag ati. Her y ddameg hon yw inni ddysgu gweld pobl fel y mae Duw yn eu gweld, fel plant ei gariad, yn werthfawr yn ei olwg ac yn wrthrychau ei gariad a'i faddeuant achubol.

Cwestiynau i'w trafod:

1. Beth arall a dderbyniodd y wraig bechadurus yn sgil ei phrofiad o faddeuant?

2. Beth a olygir wrth faddeuant? Pam y mae maddeuant mor allweddol i'n perthynas â Duw ac â'n gilydd?

3. Beth yw canlyniad medru gweld pobl eraill fel y mae Duw yn eu gweld?

Y DDWY SYLFAEN

Mathew 7: 24–29; Luc 6: 46–49

Tuedd awdur Efengyl Mathew yw casglu a golygu dywediadau a damhegion Iesu a'u cyplysu wrth ei gilydd yn ôl eu cynnwys a'u themâu. Beth bynnag oedd cyd-destun gwreiddiol y ddameg hon, y mae Mathew yn ei gosod yn gelfydd fel uchafbwynt i ran olaf y Bregeth ar y Mynydd, gyda'i phwyslais ar *wneud* ewyllys Duw, nid bodloni ar *siarad* yn unig. Techneg bregethwrol gyffredin yw diweddu pregeth gydag eglureb effeithiol. A dyma Iesu'n crynhoi cenadwri ei bregeth fawr gyda stori am ddau ŵr yn adeiladu eu tai – y naill yn cloddio'n ddwfn i osod sylfaen i'w dŷ ar graig, a'r llall yn codi ei dŷ ar dywod heb drafferthu i osod sylfeini o unrhyw fath. Fel un a enillai ei fywoliaeth fel saer, deuai'r eglureb hon o brofiad Iesu ei hun o adeiladu tai. Gwyddai'n dda pa mor bwysig oedd sicrhau bod i bob tŷ sylfaen gadarn.

Dweud a Gwneud

Cefndir y ddameg, yn ôl Mathew a Luc, yw dysgeidiaeth Iesu ar bwysigrwydd g*weithredu*, nid *gwrando* yn unig. Yn yr adrannau blaenorol mae'n delio â'r cwestiwn, beth yw nodweddion gwir ddisgybl? Barn rhai yw mai'r gwir ddisgybl yw'r sawl sy'n cyffesu'n agored fod Iesu'n Arglwydd: '*Arglwydd, Arglwydd*'. Cyffes aruchel yw hon, yn golygu mwy na'i gydnabod yn Feistr neu yn Athro; mae'n golygu ei gyffesu'n Feseia ac yn Fab Duw. Hwn yw'r teitl a roddwyd i Iesu yn dilyn yr Atgyfodiad a phan ddaeth yn wrthrych ffydd ac addoliad yr eglwys fel Duw ei hun. Nid yw Iesu'n dibrisio'r gyffes. Y pwynt a wneir yw fod y gyffes yn ddiwerth onid yw'n arwain at *weithredu*. Heb fod iddi gynnwys moesol ac ymarferol, sef '*gwneud ewyllys fy Nhad*' (adn. 21), y mae'n gyffes wag. Yr oedd rhai yn yr Eglwys Fore yn defnyddio'r teitl *Arglwydd* heb ymroi i fyw bywyd o ufudd-dod. Roedd eraill yn defnyddio'r enw fel math o fformiwla ddewinol wrth broffwydo ac wrth fwrw allan ysbrydion aflan. Pan ddaw'r '*dydd hwnnw*', sef y dydd diwethaf, bydd Iesu ei hun yn barnu eu gwaith ac yn datgan ei fod yn ddiwerth. Nid yw *dweud* yn ddigon ynddo'i hun heb fod y dweud yn mynegi ei hun mewn *gwneud,* a'r gwneud yn mynegi ei hun mewn bywyd o ufudd-dod i ewyllys y Tad.

Adeiladu

Amcan y ddameg sy'n dilyn yw dangos y gwahaniaeth a welai Iesu rhwng y sawl sy'n gwrando ar ei eiriau ac yn ymateb yn ymarferol iddynt mewn bywyd o ufudd-dod a gwasanaeth, a'r sawl sy'n gwrando yn unig, ond yn gwneud dim. Dyma'r gwahaniaeth rhwng y gwir ddisgybl a'r gau, rhwng y sawl sy'n byw bywyd y deyrnas a'r sawl sydd oddi allan iddi, rhwng y sawl sy'n Gristion a'r sawl nad ydyw.

Trwy gydol y Bregeth ar y Mynydd bu Iesu'n dysgu egwyddorion teyrnas Dduw a gofynion bywyd y deyrnas. Gan ddechrau gyda'r Gwynfydau a'r pethau a ddaw â bendithion a llawenydd i fywyd, â ymlaen i ddysgu sut y dylai pobl ymagweddu tuag at ei gilydd, osgoi dicter, malais a chasineb, bod yn halen ac yn oleuni yn y byd, casglu trysorau ysbrydol, maddau i'w gelynion a dysgu eu caru, dysgu gweddïo, ac ymddiried yn Nuw a pheidio â phryderu. Dyna siarter y bywyd Cristnogol.

Fel diweddglo y mae Iesu'n llefaru'r ddameg hon er mwyn dangos bod y sawl sy'n derbyn ei ddysgeidiaeth ac yn gweithredu arni fel dyn yn cloddio'n ddwfn ac yn gosod sylfaen gadarn i'w dŷ ar graig, ond bod y sawl sy'n gwrando ar ei ddysgeidiaeth ond heb weithredu arni fel dyn ffôl yn adeiladu ei dŷ ar y tywod. Y mae'r gwahaniaeth rhyngddynt yn ddwfn ym mywyd y ddau, a daw i'r golwg yn nannedd y storm. Er y llifogydd a'r gwyntoedd saif un tŷ yn gadarn oherwydd iddo gael ei sylfaenu ar y graig, ond yn niffyg sylfeini fe syrthiodd y llall, '*a dirfawr oedd ei gwymp*' (adn. 27).

Y Tebygrwydd rhwng y Ddau Dŷ

O edrych ar y ddameg yn arwynebol ni welir fawr ddim yn wahanol rhwng y ddau dŷ. Â'r ddau adeiladydd ati i adeiladu eu tai, i fyw eu bywyd a ffurfio'u cymeriadau.

Yn gyntaf, *y mae'r ddau yr un mor awyddus i godi eu tai.* Nid Cristnogion yw'r unig bobl sy'n ceisio byw yn dda a chyfrifol. Nid Cristnogion yn unig sydd am greu tecach cymdeithas a gwell byd, sydd am ddileu tlodi a newyn a gwaredu'r byd o ormes ac anghyfiawnder. Ceir anffyddwyr, credinwyr, comiwnyddion, Cristnogion, dilynwyr crefyddau eraill a phobl o ewyllys da o bob cefndir a diwylliant sydd i gyd yn awyddus i wella'u bywydau ac i wella'r byd.

Yn ail, *y mae'r ddau dŷ yn cael eu hadeiladu yn ôl yr un cynllun a chyda'r un defnyddiau.* Nid oherwydd ei fod wedi'i adeiladu o ddefnyddiau salach neu yn ôl cynllun diffygiol y mae'r tŷ ar y tywod yn syrthio. Yn y seiliau, nid yn y defnyddiau na'r cynllun, y mae'r diffyg. Yn yr un modd, y mae pobl, boed hwy'n Gristnogion neu beidio, yn debyg o ran eu cyfansoddiad corfforol, meddyliol ac emosiynol. Nid ydym, o angenrheidrwydd, fymryn gwell pobl oherwydd ein ffydd a'n crefydd. Ceir Cristnogion da a Christnogion sâl, fel y ceir anffyddwyr da ac anffyddwyr sâl. Beth bynnag yw ei gred, ei hil neu ei genedl, y mae da a drwg ym mhob person.

> Dyn yw dyn, ar bum cyfandir,
> Dyn yw dyn, o oes i oes ...

Y mae gwadu hynny yn fygythiad i gymdeithas wâr. Hanfod Natsïaeth oedd y gred fod Ariaid yn rhagori'n gorfforol ac yn feddyliol ar bobl o hiliau eraill. Ond y gwir yw ein bod i gyd wedi ein 'gwneud' o'r un deunydd.

Yn drydydd, *yr un storm sy'n ymosod ar y ddau dŷ.* Yr un prawf sy'n gyffredin i'r ddau. Nid am fod y storm a chwythodd yn erbyn y tŷ ar y tywod yn gryfach y disgynnodd y tŷ hwnnw. Fe ddaw drycinoedd bywyd heibio i bawb – y doeth a'r ffôl, y tlawd a'r cyfoethog, y sant a'r pechadur, y crediniwr a'r anghrediniwr. Ni chawn osgoi profiadau anodd bywyd am ein bod yn Gristnogion – er bod rhywbeth ynom sydd, yn ddistaw bach, yn disgwyl i Dduw ein trin yn fwy trugarog na'r rhelyw o bobl!

Dyna'r pethau sy'n debyg yn y ddau dŷ. Ond arwynebol yw'r tebygrwydd. Y mae'r gwahaniaeth o'r golwg, yn y sylfeini – y gwahaniaeth rhwng tŷ a sylfaen gadarn iddo a thŷ heb sylfaen. Mae un yn gwrando ar eiriau Iesu ac yn eu troi'n argyhoeddiad cadarn sy'n sylfaen i'w gymeriad ac yn rheoli ei fywyd a'i ymddygiad. Mae'r llall yn clywed y geiriau, yn gwrando ar ddysgeidiaeth Iesu, ond nid yw'n troi yn argyhoeddiad nac yn sail ymarferol i'w fywyd a'i bersonoliaeth. Mae i gymeriad y Cristion seiliau wedi eu gosod ar graig, a'r graig honno yw Iesu Grist.

Y Seiliau

Mae geiriau rhagymadroddol Iesu yn dangos beth yw seiliau'r tŷ ar y graig.

Yn gyntaf, *dod at Iesu.* Meddai Luc (a Luc yn unig sy'n cynnwys y cymal), *'Pob un sy'n dod ataf ... dangosaf i chwi i bwy y mae'n debyg'* (adn. 6: 47). Mae'r Cristion yn un sydd wedi cymryd y cam bwriadol, ymarferol o ddod at Iesu ac ymrwymo'n bersonol iddo. Gwêl fod y gyfrinach i ystyr a phwrpas bywyd i'w ganfod mewn *person.* Y Person hwn, yn ei fywyd a'i gymeriad, sy'n dangos sut un yw Duw. Ei esiampl a'i ddysgeidiaeth ef sy'n dysgu pobl i gydymddwyn â phawb, i faddau bai ac i garu gelyn. Ym marwolaeth ac atgyfodiad hwn y mae canfod cymod â Duw, rhyddhad oddi wrth bechod a bywyd newydd. Meddai'r diweddar Donald Soper mewn pregeth ar Tower Hill, 'Y mae comiwnyddiaeth yn cynnig i ni faniffesto; mae dyneiddiaeth yn cynnig i ni athroniaeth; mae Islam yn cynnig i ni lyfr, y Qur'an; mae masnach yn cynnig i ni bethau materol; ond y mae Cristnogaeth yn cynnig i ni berson – yr Arglwydd Iesu Grist – ac yn ein gwahodd i ddod ato, i'w dderbyn a mwynhau ei gwmni bob dydd o'n hoes.'

Dyna yw gwahoddiad yr efengyl o hyd – gwahoddiad i ddod at Berson; i ddweud 'Ie' wrtho, i rannu ein bywyd ag ef, i ddysgu oddi wrtho ac i wneud darganfyddiadau newydd a chyffrous yn ei gwmni. Dod at Iesu Grist yw man cychwyn y bywyd Cristnogol, a bywyd ydyw sydd wedi'i adeiladu ar berthynas bersonol ag ef.

Yn ail, *gwrando ar eiriau Iesu.* *'Pob un sy'n gwrando ar y geiriau hyn o'r eiddo* (Math. 7: 24). Mae'r Cristion yn un sy'n gwrando ar eiriau Iesu – gwrando arnynt fel eu bod yn hydreiddio'i feddwl a'i gymeriad, yn dod yn rhan ohono, ac yn llywio a chyfeirio'i ewyllys a'i ymddygiad. Y mae gwrando yn elfen bwysig ym mhob perthynas – gwrando'n astud ar lefel ddofn, ddwys, ystyriol. Yn yr un modd, rhaid gwrando ar Dduw yn siarad â ni: drwy'r Beibl, drwy addoliad yr eglwys, drwy harddwch y byd, drwy leisiau pobl eraill ac, yn fwy na dim, drwy eiriau Iesu Grist a thrwy ein perthynas ag ef. A rhaid wrth gyfnodau o dawelwch dwys a disgwylgar i'n galluogi i wrando arno'n siarad yn uniongyrchol â'n heneidiau. Meddai Morgan Llwyd, 'Distawrwydd a rydd i'r enaid ddyfnder a deall'. Yr un sydd â sylfaen gadarn i'w fywyd yw'r un sy'n gwrando ar Dduw yn llefaru wrtho drwy eiriau Iesu.

Yn drydydd, *gweithredu*. *'Pob un felly, sy'n gwrando ar y geiriau hyn o'r eiddof ac yn eu gwneud ...'* (Math. 7: 24). Rhaid wrth eiriau i'n galluogi i ddeall ein ffydd a'i chyfathrebu'n ystyrlon. Ond nid yw geiriau'n unig yn ddigon. Rhaid troi'r geiriau'n weithredoedd. Crefydd foesegol, weithredol yw crefydd y Beibl. Dro ar ôl tro, yn yr Hen Destament a'r Newydd, y mae Duw yn galw ar ei bobl i *wneud* pethau: i weithredu cyfiawnder, i gynorthwyo'r tlawd, i iacháu'r cleifion, i dystio i dangnefedd, i ufuddhau i'w orchmynion. Meddai Pedr am Iesu: '*Aeth ef oddi amgylch gan wneud daioni'* (Actau 10: 38). Gwneud daioni yn ei enw ef yw tasg a braint y Cristion, a hynny sy'n rhoi sylfaen gadarn a chredadwy i'w grefydd a'i fywyd.

Cwestiynau i'w trafod:

1. Sut mae gosod sylfeini cadarn i'n cymeriad a'n crefydd?

2. Pa mor bwysig heddiw yw cyffesu Iesu yn Arglwydd?

3. Beth a olygir wrth 'ddod at Iesu'?

Y WINLLAN A'R TENANTIAID

Mathew 21: 33–44; Marc 12: 1–11; Luc 20: 9–18

Mae'n debygol mai hon oedd y ddameg olaf i Iesu ei llefaru. Yr oedd wedi marchogaeth mewn gostyngeiddrwydd i Jerwsalem, wedi glanhau'r deml ac wedi ennyn llid y prif offeiriaid a henuriaid y bobl fel eu bod hwy'n cwestiynu trwy ba awdurdod yr oedd yn gwneud y pethau hyn. Dywed Iesu mai ei Dad nefol sydd wedi ei anfon ac oddi wrtho ef y daw ei awdurdod i weithredu. Fel yr anfonodd Duw y proffwydi at eu tadau, Duw a'i hanfonodd ef atynt hwy. Fel yr ymosodwyd ar y proffwydi, byddai yntau hefyd yn cael ei gam-drin a'i ladd ganddynt hwy. Gwelsant ergyd y ddameg ar unwaith: *'gwyddent mai amdanynt hwy yr oedd yn sôn'* (Math. 21: adn. 45).

Dameg yn troi'n Alegori

Mae pwysigrwydd y ddameg hon i'w weld yn y ffaith ei bod yn un o dair dameg a gofnodir gan y tri efengylydd – Mathew, Marc a Luc. Y ddwy arall yw Dameg yr Heuwr a Dameg yr Hedyn Mwstard. Bach iawn yw'r gwahaniaethau rhwng y tri fersiwn. Cyfeiria Marc at anfon tri gwas ar achlysuron gwahanol, ond sonia Mathew am anfon gweision, ac yna'n ddiweddarach *'weision eraill',* cyn anfon atynt fab y perchennog. Wrth gyfeirio'n gynnil at y proffwydi 'blaenorol' a'r rhai 'diweddar', y mae Mathew'n rhoi esboniad alegorïaidd i'r ddameg ac nid yw'n anodd gweld pwy a gynrychiolir gan y gwahanol gymeriadau. Duw, mae'n amlwg, yw'r 'perchen tŷ' a blannodd y winllan. Arweinwyr crefydd Israel yw'r tenantiaid, a'r proffwydi yw'r gweision. Mae rhai esbonwyr wedi awgrymu mai'r tŵr yn y winllan yw'r eglwys, lle byddai'r gweithwyr yn dod at ei gilydd i gysgodi ac i ymgomio. Y mab yw Iesu ei hun. Nid yw mor hawdd penderfynu beth a olygir wrth y winllan. Yn draddodiadol, sonnid am Israel fel gwinllan Duw, a byddai gwrandawyr Iesu wedi cysylltu'r ddameg â chân y proffwyd Eseia i winllan Duw (Es. 5: 1–7). Ond pwyslais canolog y proffwyd yw ansawdd ffrwyth y winllan, nid ymddygiad y tenantiaid. Ac yn y ddameg sonnir am ddwyn y winllan oddi ar Israel a'i rhoi i denantiaid eraill. Yr esboniad tebycaf a mwyaf ystyrlon yw mai teyrnas Dduw yw'r winllan.

Y mae rhai esbonwyr wedi amau dilysrwydd y ddameg hon fel eiddo Iesu ac wedi awgrymu ei bod yn gynnyrch yr Eglwys Fore, yn bennaf oherwydd y cyfeiriad at farwolaeth Iesu ei hun. Dadleuant mai darlun sydd yma wedi ei dynnu gan rywun yn edrych yn ôl ar y croeshoeliad. Ond gwyddom o gyfeiriadau eraill yn yr Efengylau fod Iesu wedi rhag-weld y groes ymhell cyn dod ati ac wedi ceisio cael ei ddisgyblion i ddod i delerau â'r ffaith fod ei farwolaeth, fel ei fywyd, yn rhan o fwriad Duw. Nid diwinyddiaeth yr Eglwys Fore sydd yn y ddameg, ond Iesu ei hun yn cyhoeddi barn ar ei genedl ac ar ei genhedlaeth ei hun am wrthod neges y deyrnas.

Cymeriadau'r Ddameg

O dderbyn mai darlun o deyrnas Dduw yw'r winllan, daw neges y ddameg i'r amlwg wrth edrych ar gyfraniad y gwahanol gymeriadau yn y stori a'u hagwedd tuag at y winllan.

Yn gyntaf, *haelioni perchennog y winllan.* Gwnaeth ef bopeth oedd yn bosibl i'w pharatoi a'i diogelu ar gyfer y rhai fyddai yn ei lafurio: '[p]lannodd winllan; cododd glawdd o'i hamgylch, a chloddio cafn i'r gwinwryf ynddi, ac adeiladu tŵr' (adn. 33). Fel arfer, yr oedd dwy ran i winwryf, y rhan uchaf i wasgu'r grawnwin a'r rhan isaf i dderbyn y nodd. Bwriad y tŵr oedd bod yn lle ty i'r gweithwyr ac yn wylfa i'r gwylwyr edrych allan am ladron. Byddai bwth neu gwt wedi bod yn ddigon da, ond mynnodd y perchennog gael y gorau ar gyfer ei denantiaid. Darlun sydd yma o ofal Duw dros genedl Israel a'i ddarpariaethau cyson ar ei chyfer, a darlun hefyd o deyrnas Dduw a'i bendithion. A gellir estyn y darlun ymhellach i gynnwys y byd a greodd Duw ar gyfer y ddynoliaeth, gyda phopeth angenrheidiol ar gyfer dyn ac anifail. Nid anialwch a greodd, ond gardd, gwinllan, yn llawn posibiliadau. Ac y mae Duw yn parhau, yn ei haelioni mawr tuag atom, i ddarparu ar ein cyfer yn gorfforol ac ysbrydol.

Yn ail, *trachwant y tenantiaid.* Gosododd y perchennog y winllan i denantiaid, 'ac aeth oddi cartref' (adn. 33). Nid fod Duw yn gadael ei fyd, ond ei fod yn ymddiried ei eiddo'n llwyr i'r rhai a ddewisodd i ofalu amdano. Rhoddodd iddynt ryddid llwyr i drin a datblygu'r winllan, nid fel caethweision, ond fel ymddiriedolwyr. Yn yr un modd ymddiriedodd i genedl Israel y datguddiad ohono'i hun a'i fwriadau grasol, gan ddisgwyl iddi fod yn dyst i'r cenhedloedd, fel y deuai holl bobl y byd, drwyddi hi, i gydnabod Duw yn ei deml. Ond gwrthododd Israel ei chenhadaeth fawr a chadwodd y gwirionedd iddi'i hun gan ystyried cenhedloedd eraill yn ysgymun, yn aflan a thu allan i gylch gras Duw. Nid oedd y perchennog yn gofyn dim byd afresymol oddi wrth ei denantiaid, dim ond peth o ffrwyth y winllan yn gydnabyddiaeth ar eu rhan mai ef oedd eu meistr. Ond aeth y tenantiaid i feddwl mai *hwy* oedd perchnogion y winllan ac y caent gadw popeth o'i chynnyrch iddynt eu hunain. Gellir estyn y darlun i gynnwys perthynas dyn â'r cread ac â'r byd. Hanfod yr argyfwng ecolegol sy'n bygwth dyfodol y blaned yw'r trachwant dynol sy'n deillio o'r gred mai dyn biau'r ddaear, nad yw'n atebol i neb, a bod hawl ganddo i wneud fel y myn ag adnoddau'r ddaear, y môr a'r awyr.

Yn drydydd, *tasg a thynged y gweision.* Pan ddaeth yn amser ffrwythau anfonodd y meistr weision i'r winllan '*i dderbyn ei ffrwythau*' (adn. 34). Gwyddai'r tenantiaid mai gweision y perchennog oedd y rhain a gwyddent yn iawn beth oedd eu neges. Ond daliodd y tenantiaid hwy, a churo un, lladd un arall, a llabyddio un arall. Anfonodd y meistr ail ddirprwyaeth o weision, '*mwy ohonynt na'r rhai cyntaf*' (adn. 36), a'r un driniaeth a gawsant hwythau.

Y mae yma ddarlun o ymddygiad Israel tuag at y proffwydi. Ceir nifer o enghreifftiau yn yr Hen Destament o broffwydi'n cael eu curo a'u cam-drin (gweler 1 Bren. 22: 24; Jer. 20: 2; 37:15; 38:6). Meddai Duw trwy Jeremeia, '*Y mae eich cleddyf wedi difa'ch proffwydi, fel llew yn rheibio*' (Jer. 2: 30). Ac meddai Steffan yn ei araith gerbron cyngor yr archoffeiriaid, '*Prun o'r proffwydi na fu eich hynafiaid yn ei erlid?*' (Actau 7: 52). Gwaith y proffwydi, yn ôl y darlun hwn, oedd ceisio ffrwythau ysbrydol ym mywyd Israel, ond methiant fu eu cenhadaeth. Ystyrid hwy gan yr awdurdodau a'r bobl fel cynhyrfwyr yn aflonyddu ar fywyd y genedl. Droeon a thro y mae pobl wedi amharchu ac erlid gweision Duw. Mae'r modd y bu i'r ddynoliaeth dros y canrifoedd gam-drin ei chymwynaswyr gorau yn taflu cysgod dros ei hanes.

Yn ystod y blynyddoedd diwethaf gosodwyd cyfres o gerfluniau o rai o ferthyron Cristnogol amlycaf yr ugeinfed ganrif uwchben prif fynedfa Abaty Westminster yn Llundain. Yn eu plith gwelir Dietrich Bonhoeffer, Martin Luther King, Janani Luwum, Oscar Romero ac eraill – proffwydi Duw yn eu hoes a'u cyfnod a ystyrid gan yr awdurdodau yn aflonyddwyr peryglus. Meddai cofiannydd Romero amdano: 'Mae ei fywyd a'i ddysgeidiaeth yn atgof byw i ni o'r pris y gelwir ar rai Cristnogion i'w dalu am eu gweledigaeth a'u gwaith. Mae eu gwaith a'u hesiampl yn ysbrydoliaeth i ni.'

Yn bedwerydd, *lladd yr etifedd*. Syniad y perchennog oedd y byddai'r tenantiaid yn sicr o barchu ei fab. Ond yn lle ei fod yn ail-ennyn eu hymdeimlad o gyfrifoldeb, gwelsant yn nyfodiad y mab gyfle iddynt feddiannu'r winllan a'i hadnoddau iddynt eu hunain: *'Hwn yw'r etifedd; dewch, lladdwn ef a meddiannwn ei etifeddiaeth'* (adn. 38). Yr oeddent yn barod i ladd y gweision a'r mab, nid oherwydd anwybodaeth, ond am eu bod yn gwybod yn union pwy oeddent. Esgus arferol yr Iddewon oedd nad oeddent yn adnabod y proffwydi, a dywedai eu harweinwyr na wyddent pwy oedd Iesu chwaith ac mai dyna'r rheswm dros ei holi am ei awdurdod.

Dyma grynhoi mewn dameg hanes cenedl Israel, ac wrth i Iesu ei llefaru gwyddai fod ei elynion yn cynllwynio yn ei erbyn. Lladdwyd mab y perchennog, ond ar y trydydd dydd atgyfododd Duw ef oddi wrth y meirw. Ceisiodd Caiaphas, Herod, Pilat a'u cefnogwyr roi terfyn ar ei weinidogaeth trwy ei groeshoelio, ond y mae'r weinidogaeth honno'n parhau. Mae'r deyrnas bellach wedi ei chymryd oddi wrth bobl Israel ac wedi ei throsglwyddo i denantiaid eraill, sef i'r mil o filiynau a mwy ym mhob gwlad o dan haul sydd heddiw'n cyffesu Crist yn Arglwydd.

Maen y Gongl

Wrth ddiweddu'r ddameg dyfynna Iesu eiriau o Salm 118: 22–23, am y maen a ddaeth yn ben y gongl pan adeiladwyd y deml. Yn ôl y traddodiad, carreg oedd hon a wrthodwyd gan yr adeiladwyr am nad oedd yn addas. Yn ddiweddarach pan aed i chwilio am brif gonglfaen, cafwyd bod y garreg a wrthodwyd yn ffitio'r lle pwysig hwnnw i'r dim. Yn wreiddiol y conglfaen oedd Israel, a ddirmygid gan y cenhedloedd,

140

ond a ddaeth i gyflawni cenhadaeth gwbl arbennig o fewn pwrpas Duw. Petai'r archoffeiriaid ond wedi deall yr Ysgrythurau byddent wedi gweld bod eu hymddygiad tuag at Iesu yn ailadrodd trychinebau hanes Israel ar hyd y canrifoedd. Y maent yn gwrthod y maen am nad ydynt yn barod i blygu i arglwyddiaeth ac awdurdod Iesu. Ond yr Iesu hwn yw maen y gongl o fewn teyrnas Dduw. Mae'r rhai sy'n ei wrthod ef yn bwrw eu hunain yn ei erbyn a thrwy hynny yn dwyn barn a dinistr arnynt eu hunain.

Cwestiynau i'w trafod:

1. Os ergyd y ddameg yw fod Israel wedi ceisio cadw gwinllan y deyrnas iddi ei hun, a oes rhybudd yma i'r eglwys yn ogystal?

2. Beth yw'r elfen wrthnysig a gwrthryfelgar o fewn y ddynoliaeth sy'n peri iddi ddinistrio ei chymwynaswyr gorau?

3. Ai anawsterau cred ynteu amharodrwydd i blygu i'w awdurdod moesol sy'n cyfrif amlaf am wrthod Iesu?

YR YSBRYD AFLAN YN DYCHWELYD

Mathew 12: 43–45; Luc 11: 24–26

Teitl arall a roddir i'r ddameg hon yw 'Y Tŷ Gwag'. Fel mae'r ddameg yn awgrymu, lle annymunol ac anghynnes yw pob tŷ gwag – y teulu wedi mudo, y dodrefn wedi'u symud, y llenni wedi'u tynnu i lawr ac adlais gwacter drwy'r lle. Fe all tŷ gwag fod yn lân, yn sych ac mewn cyflwr da, ond y mae awyrgylch oeraidd, brawychus bron, yn ei wacter a'i dywyllwch. Darlun tebyg sydd gan Iesu Grist yn y ddameg fer hon. Sôn y mae am beryglon y bywyd gwag. Mae dyn yn glanhau tŷ ei fywyd ac yn cael gwared o'r ysbryd aflan oedd ynddo. Mae'r tŷ wedyn yn lân, yn gymen, yn ddestlus – ond yn wag. Yn y cyfamser mae'r ysbryd aflan yn penderfynu dychwelyd ac yn dod â saith o ysbrydion drwg eraill gydag ef, rhai mwy drygionus nag ef ei hun, ac y mae'r rheini'n ymgartrefu yn y tŷ fel bod cyflwr y lle yn waeth nag yr oedd ar y dechrau.

Y mae Luc yn cysylltu'r ddameg â'r cyhuddiad yn erbyn Iesu Grist o fwrw allan ysbrydion aflan drwy awdurdod Beelsebwl. Mae ateb Iesu yn diweddu gyda'r geiriau, '*Os nad yw rhywun gyda mi, yn fy erbyn i y mae, ac os nad yw'n casglu gyda mi, gwasgaru y mae.*' (Luc 11: 23). Amcan y ddameg yn ôl Luc, felly, yw dangos mai amhosibl yw bod yn amhleidiol yn achos y deyrnas. Ym Mathew y mae cysylltiad rhwng y condemniad ar derfyn y ddameg o'r '*genhedlaeth ddrwg hon*', a'r cyfeiriad at y '*genhedlaeth ddrygionus ac annuwiol sy'n ceisio arwydd*' (Math. 12: 39). Bwriad y ddameg gan Mathew yw bod yn gondemniad ychwanegol o'r genhedlaeth honno.

Ysbrydion Aflan

Cefndir y ddameg yw'r gred Iddewig mewn ysbrydion aflan neu ddemoniaid – cred oedd yn gyffredin ar draws yr hen fyd. Priodolid afiechydon i bresenoldeb ysbrydion drwg, yn enwedig afiechydon y meddwl. Yr oedd dulliau arbennig o'u bwrw allan, ond anaml iawn y byddai'r feddyginiaeth yn barhaol. Yn ôl y gred gyffredin, byddai ysbrydion aflan yn cael mynediad i gyrff dynol drwy fwyd, neu ddŵr, yn enwedig dŵr o ffynhonnau dieithr a dwylo heb eu golchi. Y mae'n bur debyg y derbyniai Iesu'r gred mewn ysbrydion aflan fel y gwnâi ei gyfoeswyr. Yr oedd yn gred boblogaidd fod ysbrydion aflan yn trigo yn y diffeithwch neu mewn adfeilion. Dyna ystyr y cyfeiriad yn y ddameg at yr ysbryd aflan *yn rhodio trwy fannau sychion'.* Gan ei fod yn anfodlon ar ei fywyd crwydrol mae'r ysbryd yn dychwelyd i'r tŷ ac yn cael y lle yn wag ac yn lân. Digwyddai'n aml i ysbryd aflan ddychwelyd ac i gyflwr claf waethygu. Yr hyn a fynegir drwy'r ddameg yw nad yw bwrw allan ysbryd drwg o fywyd person ynddo'i hun yn ddigon. Rhaid wrth rywbeth mwy nag y gall consuriwr neu un sy'n bwrw allan ysbrydion drwg ei wneud. Honna Iesu ei fod ef yn gwneud mwy na hynny. Nid yn unig y mae'n bwrw allan ddrygioni, ond mae hefyd yn llenwi person â bywyd newydd. Gwyddai darllenwyr cyntaf Mathew a Luc, sef aelodau'r Eglwys Fore, fod hyn wedi digwydd mewn gwirionedd. Trwy weinidogaeth, aberth ac atgyfodiad Iesu Grist gorchfygwyd drygioni, a daeth yr Ysbryd Glân ar y credinwyr ar ddydd y Pentecost a'u llenwi â bywyd newydd.

Gwacter Ystyr

Pa mor berthnasol i'n hoes wyddonol, dechnolegol ni yw dameg sy'n sôn am ysbrydion aflan a'u campau? Er mor od yw'r stori ar yr olwg gyntaf, mae'n rhyfeddol o gyfoes a pherthnasol i'r cyfnod hwn. Sôn y mae Iesu am beryglon y bywyd gwag. Gwêl fod gwacter yn nodwedd bywydau cynifer o'i gyfoedion. Mae eu bywydau mor wag o ffydd a chrebwyll ysbrydol fel nad ydynt yn medru gweld mai Duw sydd ar waith yn Iesu. Maent yn priodoli ei allu i fwrw allan ysbrydion aflan i Beelsebwl. Ac y mae'r Phariseaid a'r ysgrifenyddion yr un mor ddiddeall ac yn galw am arwyddion oddi wrth Iesu i brofi ei awdurdod (Math. 12: 39).

Dadleuodd llawer un mai 'gwacter ystyr' yw problem waelodol y dyn cyfoes. Yn ôl Paul Tillich, pryderon mawr y ddynoliaeth mewn oesau a fu oedd ofn barn Duw ar eu pechodau ac ofn marwolaeth. Bellach, nid yw pechod yn poeni dim ar y dyn modern, a llwydda i'w dwyllo'i hun nad yw marwolaeth yn bod. Ond yr hyn *sydd* yn ei boeni yw gwacter ystyr – 'meaninglessness' yn Saesneg. Cydiodd yr Athro J. R. Jones, Abertawe, yn namcaniaeth Tillich a'i datblygu ymhellach. Mynnai ef mai man cychwyn gwacter ystyr yw gwacter ffydd, yn arwain at wacter moesol a gwacter gobaith. Rhoddodd Henry Moore, y cerflunydd, fynegiant i'r un syniad yn ei gerfluniau trawiadol o bobl â thyllau yn eu cyrff a'u pennau: *'the hollow people'*.

Yn y byd gorllewinol llwyddwyd i gael gwared o nifer o'r 'ysbrydion aflan' a fu'n poeni pobl erstalwm. I raddau helaeth, ond nid yn llwyr, cafwyd gwared o fwgan tlodi. Wrth i feddygaeth gymryd camau breision i wella afiechydon, llwyddwyd i fesur helaeth i gael gwared o fwgan afiechyd. A chyda gwelliannau addysgol dilewyd anwybodaeth. Ond er llwyddo i oresgyn llawer o'r 'demoniaid' a fu'n gwneud bywyd yn anodd i'n tadau a'n teidiau, yn niffyg pwrpas a chyfeiriad moesol ac ysbrydol i fywyd gadawyd gwacter a fu'n atyniad i elfennau dieflig eraill: materoliaeth affwysol, prynwriaeth (*consumerism*), y camddefnydd o gyffuriau sydd wedi darnio bywydau miloedd ar filoedd o bobl, pornograffi, fandaliaeth, trais ar ein strydoedd, diddordeb afiach yn yr ocwlt a thwf cyltiau crefyddol od a pheryglus. Dyna rai o'r ysbrydion drwg sydd wedi dod i lenwi'r gwacter yn ein diwylliant modern.

Gwersi'r Ddameg

Rhaid sicrhau nid yn unig fod hen arferion ac ofnau ac elfennau dinistriol yn cael eu disodli o fywydau pobl, ond hefyd fod dymuniadau a bwriadau uwch yn cymryd eu lle. I hynny ddigwydd, rhaid dysgu oddi wrth wersi'r ddameg.

Yn gyntaf, *rhaid gochel rhag crefydd negyddol.* Y mae'r darlun o'r tŷ yn cael ei ysgubo'n lân o bob budreddi a'r ysbryd aflan yn cael ei yrru allan yn ddarlun o'r math o grefydd negyddol sy'n rhoi'r pwyslais ar wahardd. Nodwedd amlwg crefydd y Phariseaid oedd eu pwyslais ar reolau negyddol y Gyfraith: *na ladd, na odineba, na ladrata, na ddwg gamdystiolaeth, na chwennych dŷ dy gymydog.* Gair mawr eu crefydd hwy oedd *Na.* Ac fe geir yr un elfen negyddol, gondemniol o fewn rhai traddodiadau Cristnogol sydd wedi ceisio atal y drwg drwy waharddiadau. Fe fu elfen gref o hynny o fewn Ymneilltuaeth Gymraeg yn y gorffennol. Gwaharddwyd gweithio a chwarae ar y Sul. Gwaharddwyd gamblo a diota, a bu adeg pan oedd y theatr, dawnsio, y sinema a chwaraeon digon diniwed o dan y lach. O ganlyniad crëwyd delwedd o grefydd fach, gul, gas a chondemniol oedd yn gwgu ar y byd ac ar bob pleser a mwynhad. Wrth gwrs, rhaid gwrthwynebu'r drwg. Rhaid brwydro yn erbyn dylanwadau niweidiol. Rhaid sefyll yn erbyn gormes, trais, hiliaeth ac anghyfiawnder. Ond y mae'r grefydd nad yw'n ddim ond condemniad negyddol yn cynhyrchu adwaith sy'n agor y drws i ddylanwadau llawer mwy peryglus. Mae lle i ofni mai dyna'n union sydd wedi digwydd ymhlith cenhedlaeth iau o Gymry sydd wedi cefnu ar y ddelwedd o grefydd gul, negyddol, lesteiriol. Ond y mae crefydd negyddol yn groes i ysbryd Iesu Grist. Nid digon glanhau a gwagu tŷ bywyd heb roi iddo gynnwys amgenach.

Yn ail, *nid oes lle i niwtraliaeth wrth ddilyn Iesu.* Yn union o flaen y ddameg hon yn Efengyl Luc ceir geiriau Iesu, '*Os nad yw rhywun gyda mi, yn fy erbyn i y mae, ac os nad yw'n casglu gyda mi, gwasgaru y mae'* (Luc 11: 23). Mae'r tŷ wedi ei lanhau, ond y mae'n wag. Mae hynny'n ddarlun o'r person sy'n credu bod niwtraliaeth ac amhleidgarwch i'w canmol. Dyma'r person nad yw'n gwneud unrhyw niwed i neb, ond nid yw chwaith yn helpu neb. Nid yw'n ei ystyried ei hun yn anffyddiwr, ond nid oes ganddo chwaith unrhyw argyhoeddiad crefyddol. Mewn cymdeithas seciwlar ystyrir y meddwl agored, amhleidgar, nad yw'n ymrwymo i ddim, yn rhinwedd. Ond tuedd niwtraliaeth yw mynd yn sinigaidd a gwawdlyd o bawb arall sydd o ddifri o blaid eu crefydd neu eu hargyhoeddiadau. Nid yw tŷ gwag yn wag yn hir. Os nad oes perchennog arall i gymryd y tŷ, bydd y llygod, y pry cop, y tamprwydd, y pydredd sych, yr oerni a'r baw yn ei feddiannu ac yn raddol yn ei falurio. Amhosibl yw bod yn niwtral ym mrwydr bywyd. Nid yw cadw'r meddwl yn wag a gwneud dim yn opsiwn. Cofiwn eiriau enwog Edmund Burke, 'er mwyn i ddrygioni lwyddo, does ond angen i bobl dda wneud dim!' Os nad yw rhywun o blaid Iesu ac o blaid gwerthoedd ei deyrnas, y mae yn ei erbyn.

Yn drydydd, *rhaid croesawu'r perchennog nefol.* Yr unig feddyginiaeth barhaol i'r bywyd gwag yw i Ysbryd Duw ei feddiannu. Gallai hwnnw nid yn unig fwrw allan ddrygioni, ond hefyd ei gadw allan. Elfen ganolog yn niwinyddiaeth Paul yw ei bwyslais ar Grist yn trigo yn y galon: '*Yr wyf ... yn gweddïo ... ar i Grist breswylio yn eich calonnau drwy ffydd'* (Effes. 3: 17). Ac meddai yn ei Lythyr Cyntaf at y Corinthiaid,

'Oni wyddoch mai teml Duw ydych, a bod Ysbryd Duw yn trigo ynoch' (1 Cor.3: 16).

Agorodd Leonard Cheshire ei gartref cyntaf i filwyr a anafwyd mewn hen blasty yn Lloegr a fu am rai blynyddoedd ym meddiant y fyddin. Bu'r tŷ yn wag am gyfnod a dechreuodd ddadfeilio. Ond adferwyd ef mewn pryd a'i droi'n gartref nyrsio preswyl. Tŷ gwag, dan ddylanwad ysbryd cariad a thosturi, yn troi'n lloches, yn ysbyty ac yn gartref. Ond dyma wyrth fwy – calon yn troi'n deml wrth i Ysbryd Crist ei pherchenogi a'i gwneud yn drigfan iddo'i hun.

Cwestiynau i'w trafod:

1. A ydych yn cytuno mai gwacter ystyr yw un o broblemau amlycaf pobl heddiw?

2. A yw'n wir dweud bod y ddelwedd o grefydd negyddol, gul wedi gwneud niwed mawr i'r dystiolaeth Gristnogol yng Nghymru?

3. Beth yw ystyr y cysyniad o Grist yn preswylio yn y galon?

Y GWAS ANFADDEUGAR

Mathew 18: 21–35

Fel y dywedir bod tri chynnig i Gymro, felly y dywedai'r Gyfraith Iddewig fod maddau deirgwaith yn ddigon. Seiliwyd yr egwyddor hon ar eiriau yn Llyfr Amos sy'n sôn am Dduw yn maddau tri o anwireddau (Amos 1: 3, 6, 11). Pan ddaw Pedr at Iesu a gofyn, '*Arglwydd, pa sawl gwaith y mae fy nghyfaill i bechu yn fy erbyn a minnau i faddau iddo?*' (adn. 21), y mae'n cydnabod mai ei ddyletswydd grefyddol yw maddau. Yr hyn sy'n ei boeni yw faint o weithiau y dylai faddau i un oedd yn dal i bechu yn ei erbyn.

Maddeuant a'r Gyfraith

Tuedd y grefydd Iddewig oedd meddwl am rinwedd yn nhermau gweithredoedd da. Ar y dydd diwethaf byddai person yn gadwedig os oedd rhif ei weithredoedd da yn fwy na'i weithredoedd drwg. Meddyliai Pedr am faddeugarwch fel gweithredoedd da ac mae am wybod gan Iesu pa sawl gweithred o faddeuant i'w frawd a bechodd yn ei erbyn fyddai'n ychwanegu at swm ei rinweddau. Mae'n awgrymu ateb ei hun: '*Ai hyd seithwaith?*' (adn. 21). Roedd hynny'n ychwanegiad sylweddol i'r rhif a ystyrid yn ofynnol gan y Gyfraith. Dywed un o athrawon y Gyfraith yn y Talmwd, 'Os pecha dyn yn erbyn ei gyd-ddyn unwaith, maddeuer iddo; maddeuer iddo'r ail waith; maddeuer iddo'r drydedd waith; ond na faddeuer iddo'r bedwaredd waith'. Mae Pedr yn fodlon mwy na dyblu'r rhif, a gallai ei ystyried ei hun yn fawrfrydig rinweddol o fod yn barod i fynd ymhellach na'r rheol. Ond dengys ei eiriau pa mor bell y mae o ddeall beth a olygai Iesu wrth faddeuant.

Mae Iesu am argraffu arno nad mater o weithredoedd da y gellir eu cyfrif yw maddeuant, ond cyflwr meddwl ac ysbryd ac agwedd barhaol tuag at bobl. Mynegir hyn mewn rhif: '*Nid hyd seithwaith a ddywedaf wrthyt, ond hyd saith deg seithwaith*' (adn. 22) – y fath rif ag sy'n gwneud rhifo'n gwbl ddiystyr. Nid oes sicrwydd pa un ai 70 x 7 a olygir ynteu 70 + 7. Ond nid yw hynny'n gwneud unrhyw wahaniaeth i'r egwyddor a bwysleisir gan Iesu. Cyfeiriad yw'r geiriau at Gân Lamech yn Llyfr Genesis:

> *Os dielir am Cain seithwaith,*
> *yna Lamech saith ddengwaith a seithwaith* (Gen. 4: 24).

Hynny yw, os dielir ar Cain lawer gwaith, dielir ar Lamech yn ddiddiwedd. Ar hyd y canrifoedd y mae pobl wedi dial yn ddiddiwedd ar ei gilydd, a'r cylch dieflig o ymosod a dial, ac ymosod a dial drachefn, fu achos yr holl drais a'r rhyfela yn y byd erioed.

Iesu yw'r cyntaf i sôn am faddau yn ddiddiwedd. Nid bod neb i rifo'r holl adegau y maddeuodd i eraill er mwyn cael ei gyfrif yn rhinweddol, ond ei fod i beidio â rhifo o gwbl. Agwedd meddwl ac ysbryd yw maddeugarwch Cristnogol, un sy'n ymateb ar unwaith ac yn ddiamod i bob sen ac anfri a chamwri. Ni ellir creu'r cyflwr meddwl hwn drwy orchymyn cyfraith neu reol grefyddol. Yn hytrach y mae'n un o nodweddion bywyd y deyrnas. Fe gwyd o adnabyddiaeth o Dduw ac o ysbryd Crist yn trigo yn y galon. Egluro hyn ymhellach yw amcan y ddameg sy'n dilyn.

Brenin a'i Was

Trwy'r ddameg hon mae Iesu'n dysgu un o wirioneddau mwyaf y deyrnas, sef na all maddeuant Duw weithredu'n effeithiol ym mywyd person onid yw'n barod i faddau i'w gyd-ddyn. Ni fynegir hynny'n gliriach yn unman nag yn y ddameg hon – dameg a gofnodir gan Fathew yn unig. Yn y ddameg disgrifir brenin, a ymddiriedodd ei eiddo i'w weision, yn penderfynu adolygu eu cyfrifon. Cafwyd bod un gwas mewn dyled enfawr i'r brenin. Rhaid ei fod wedi twyllo am gyfnod hir oherwydd yr oedd y swm a nodir yn *'ddeng mil o godau o arian'* (adn. 24). Byddai hynny tua dwy filiwn a hanner o bunnoedd yn ein harian ni. Nid oedd gan y gwas ddim i fedru talu'n ôl. Mae'n rhaid ei fod yn wastrafflyd tu hwnt yn ogystal â bod yn dwyllodrus. Mewn achos o ladrad neu ddyled a'r dyledwr heb ddim i fedru talu, dywed Cyfraith Moses, *'os nad oes dim ganddo, y mae ef ei hun i'w werthu am ei ladrad'* (Exodus 22: 3). Dyfarnodd y brenin mai felly y dylid gweithredu yn achos y dyn hwn:

'ei werthu, ynghyd â'i wraig a'i blant a phopeth a feddai, er mwyn talu'r ddyled' (adn. 25) er na fuasai hynny byth yn clirio'r ddyled.

Pan glywodd y gwas hynny, syrthiodd ar ei wyneb o flaen y brenin yn erfyn am drugaredd gan addo talu'r cwbl yn ôl. Y mae ei addewid yn fwy nag y gall byth ei chyflawni. Yn wir, roedd ei ddyled yn fwy na chyllid blynyddol holl daleithiau Palestina gyda'i gilydd. Gwyddai'r brenin yn iawn nad oedd gobaith ganddo i dalu. Gwelai fod ei sefyllfa'n hollol anobeithiol a thrugarhaodd wrtho a maddau'r ddyled i gyd. Cafodd y gwas ryddid o garchar a rhyddid o'i ddyled.

Yn fuan wedyn cyfarfu'r gwas ag un o'i gyd-weision a oedd yn ei ddyled *'o gant o ddarnau arian'* (adn. 28), llai na phum punt o'n harian ni. Ceisiodd ei orfodi i dalu trwy ymddwyn yn greulon tuag ato. Pan ofynnodd y dyledwr am amser i dalu gwrthododd y gwas ei gais a bwriodd ef i garchar nes i'r ddyled gael ei thalu. Trwy wneud hynny fe'i hamddifadodd o'i ryddid a'r cyfle i ennill digon i dalu ei ddyled. O weld ei ymddygiad gwarthus aeth y gweision eraill i achwyn amdano i'r brenin: *'fe'u blinwyd yn fawr iawn, ac aethant ac adrodd yr holl hanes wrth eu meistr'* (adn. 31). Nid yn unig yr oeddent yn gofidio am dynged y dyledwr, ond yr oeddent hefyd wedi eu cythruddo cymaint gan ddiffyg tosturi a chreulondeb y gwas. Galwodd y brenin ef ato a dangosodd iddo'r anghysondeb oedd rhwng y maddeuant a dderbyniodd a'i ddiffyg maddeuant i'w gyd-was. Gorchmynnodd ei daflu i garchar a'i draddodi *'i'r poenydwyr hyd nes y talai'r ddyled yn llawn'* (adn. 34). Ac ychwanega mai felly y gwna Duw â phawb sy'n gwrthod maddau i eraill. Mae'n bur debyg mai Mathew ei hun a ychwanegodd adn. 34 a 35 at y ddameg wreiddiol. Os yw'r brenin yn y diwedd yn troi yr un mor ddialgar â'r gwas, y mae hynny'n tanseilio prif neges y ddameg.

Maddeuant Dwyfol a Dynol

Amcan y ddameg yw dangos mawredd maddeuant Duw mewn cyferbyniad ag ysbryd anfaddeugar dyn, a'r ffaith na all neb dderbyn maddeuant Duw heb iddo faddau i'w gyd-ddyn. Gwelwn felly fod y ddameg yn pwysleisio tri pheth.

Yn gyntaf, *trugaredd a maddeuant diderfyn Duw.* Yn lle edrych ar y camwri a'r twyll a gyflawnodd y gwas, edrychodd y brenin ar ei sefyllfa anobeithiol, ac yn lle ei gosbi yn ôl ei haeddiant, maddeuodd iddo'i ddyled i gyd. Felly, meddai Iesu, y mae Duw yn ymddwyn tuag at ddyn. Y mae cyflwr dyn gerbron Duw mor anobeithiol â chyflwr y gwas gerbron y brenin. Maddeuant enfawr, diderfyn Duw yn unig a all gynnig gobaith iddo. Gofyn am amser i dalu'r ddyled yn ôl a wnaeth y gwas: *'bydd yn amyneddgar wrthyf, ac fe dalaf y cwbl iti'* (adn. 26). Nid oes neb yn fwy optimistaidd ynghylch ei amgylchiadau na dyn mewn dyled: bydd popeth yn iawn yfory! Ond nid oedd ganddo unrhyw obaith o fedru ad-dalu'r ddyled. Gwnaeth y brenin yn anhraethol fwy nag a ddychmygodd y gwas. Yn yr un modd y mae maddeuant a thrugaredd Duw yn anhraethol fwy na'n haeddiant a'n disgwyliadau ni.

Yn ail, *darlunnir ysbryd anfaddeugar dyn.* Nid yw'r maddeuant a ddangoswn i eraill i'w gymharu â'r maddeuant a dderbyniwn oddi wrth Dduw. Dyna a bwysleisir yn y gwahaniaeth mawr rhwng dyled y gwas i'w feistr a dyled ei gyd-was iddo yntau. Ac eto, realiti'r sefyllfa ddynol yw mai cyndyn yw dyn i faddau hyd yn oed droseddau bach, ond parod iawn i ddial. A gwelir pa mor galed a didostur y gall dialedd fod: *'ymaflodd ynddo gerfydd ei wddf gan ddweud, "Tâl dy ddyled"'* (adn. 28). Amhosibl yw cyfrif y creulonderau erchyll a gyflawnir pan yw dialedd yn cydio yng nghalonnau pobl a chenhedloedd. Ffrwyth dialedd oedd yr hyn a ddigwyddodd yng Ngogledd Iwerddon dros gyfnod o ddeng mlynedd ar hugain a'r hyn sy'n digwydd o hyd yn y Dwyrain Canol, yn Irac ac Afghanistan heddiw. Pa faint bynnag y mae'n rhaid i ni faddau i eraill, rhaid inni wrth lawer mwy o faddeuant oddi wrth Dduw. Deall hynny sy'n ein dysgu i weithredu maddeuant yn ein hymwneud â phawb.

Yn drydydd, *ni allwn dderbyn maddeuant Duw oni faddeuwn i'n cyd-ddynion.* Meddai Iesu yn y Gwynfydau, *'Gwyn eu byd y rhai trugarog, oherwydd cânt hwy dderbyn trugaredd'* (Math. 5: 7). Ac yng Ngweddi'r Arglwydd dysgir ni i weddïo, *'maddau inni ein troseddau, fel yr ŷm ni wedi maddau i'r rhai a droseddodd yn ein herbyn'* (Math. 6: 12). Y mae Duw yn estyn ei faddeuant yn rhad, ond y mae'n rhaid i berson ei dderbyn; ac y mae derbyn maddeuant yn golygu bod o'r un meddwl a'r un ysbryd â'r Duw sy'n maddau. Meddai William Barclay, 'God's inflow of mercy to us must coincide with our outflow of mercy to others'. Trwy ymddwyn yn anfaddeugar tuag at ei gyd-was, mae'r dyledwr yn cau'r sianel i faddeuant Duw weithredu yn ei fywyd. Nid yw cymod â Duw yn bosibl heb gymod â chyd-ddyn. Mynegir yr un gwirionedd yn hyfryd yn Llyfr Ecclesiasticus:

Maddau i'th gymydog ei gamwedd,
ac yna cei faddeuant am dy bechodau di, pan ddeisyfi amdano.
Os deil dyn ddig yn erbyn dyn arall,
a all geisio iachâd gan yr Arglwydd?
Os na chymer drugaredd ar ei gyd-ddyn,
a all ddeisyf maddeuant am ei bechodau ei hun?'
(Eccles. 28: 2–4)

Cwestiynau i'w trafod:

1. Beth yw'r gwahaniaeth rhwng agwedd Pedr at faddeuant ac agwedd Iesu?

2. Yr ysfa i ddial yn hytrach na maddau sy'n gyfrifol am holl anghydfod a rhyfela'r byd. A ydych yn cytuno?

3. Pam nad yw maddeuant Duw yn gweithredu ym mywyd person anfaddeugar?

Y DEG GENETH

Mathew 25: 1–13

Er bod y ddameg hon yn ymwneud ag achlysur llawen a chyffrous, sef dyfodiad priodfab i dywys ei briodferch i'w gwledd briodas, y mae i'r ddameg ddiweddglo a rhybudd clir, sef yr angen i fod yn effro ac yn barod ar gyfer dyfodiad teyrnas Dduw.

Priodas Iddewig
Er bod y sefyllfa a ddisgrifir yn y ddameg hon yn ddieithr iawn i ni, byddai wedi bod yn gwbl gyfarwydd i wrandawyr Iesu. Yr oedd dwy ran i briodas Iddewig. Y rhan gyntaf oedd y dyweddïad, pryd y gwnâi'r mab a'r ferch addewidion i'w gilydd yng ngŵydd tystion. Talai'r priodfab swm o arian y cytunwyd arno ymlaen llaw i dad y ferch. Cyflwynai hefyd rodd i'r ferch. Yna gwnâi rhieni'r ferch yr un peth i'r priodfab. Wedi gwneud y cytundeb rhwng y pâr priodasol, anodd iawn wedyn oedd dod yn rhydd o'r berthynas. Blwyddyn oedd hyd cyfnod y dyweddïad.

Ymhen blwyddyn byddai seremoni arall, sef y briodas go iawn a'r un y cyfeirir ati yn y ddameg. Ar ddydd penodedig âi'r priodfab a nifer o'i gyfeillion i dŷ'r briodferch i'w chyrchu i wledd briodas yn eu cartref newydd. Byddai hyn bob amser yn digwydd gyda'r hwyr, ond nid oedd amser penodol ar gyfer dyfodiad y priodfab. Ar ôl machlud haul byddai morynion y briodferch yn ymgasglu i'w ddisgwyl. Wedi iddo gyrraedd ffurfid gorymdaith i'w cartref newydd gyda'r pâr ifanc ar y blaen. Gan mai yn y tywyllwch y cynhelid yr orymdaith arferai'r morynion gymryd lampau gyda hwy a cherdded wrth ymyl y mab a'r ferch i oleuo'r ffordd. Byddai'r orymdaith yn ddigwyddiad cyffrous a phawb o bob oed yn ymuno yn y dathlu llawen. Wedi cyrraedd y tŷ ac yn dilyn y seremoni briodasol caed wythnos o wledda gyda'r pâr priod yn cael eu cyfarch a'u hanrhydeddu fel petaent yn frenin a brenhines. Colli'r cyfle i gymryd rhan yn hwyl yr orymdaith ac yn y wledd fu hanes y morynion ffôl.

Stori'r Ddameg

Dywed y ddameg i'r deg geneth gymryd eu lampau a mynd allan i gyfarfod â'r priodfab i'w hebrwng i gartref y briodferch. Ond gan ei fod yn hwyr yn dod aeth y genethod i hepian a chysgu. Ceir ergyd y ddameg yn eu hymateb i'r waedd a ddaeth ganol nos: *'Dyma'r priodfab, ewch allan i'w gyfarfod'* (adn. 6). Wrth fynd ati i baratoi eu lampau gwelodd pump ohonynt nad oedd ganddynt ddigon o olew. Nid oedd ganddynt ond yr hyn oedd yn eu lampau ac yr oedd hwnnw wedi llosgi yn ystod yr oriau o ddisgwyl a chysgu. Bu'r pump arall yn ddigon doeth i gymryd olew ychwanegol gyda hwy mewn llestri. Ni allai'r rheini roi benthyg olew i'r lleill rhag iddynt hwythau hefyd fynd yn brin. Doedd dim amdani i'r rhai ffôl ond gadael y fintai a mynd i brynu rhagor o olew oddi wrth y gwerthwr. Yn y cyfamser cyrhaeddodd y priodfab ac aeth y genethod call gydag ef i'r wledd a chlowyd y drws.

Yn ddiweddarach cyrhaeddodd yr hwyrddyfodiaid, ond er iddynt ymbil yn daer, ni chawsant fynediad. Ymateb y priodfab oedd, *'Yn wir, rwy'n dweud wrthych, nid wyf yn eich adnabod'* (adn. 12). Go brin y byddai priodfab dynol yn ymateb mor chwyrn. Yr awgrym yw mai barnwr dwyfol sy'n llefaru ac yn cyhoeddi barn ar y rhai oedd yn amharod i dderbyn y deyrnas ac i groesawu Mab y Dyn. Fel y didolir rhwng y genethod a oedd yn barod ar gyfer dyfodiad y priodfab a'r rhai a oedd heb baratoi ar ei gyfer – y naill rai yn 'gall' a'r lleill yn 'ffôl' – felly hefyd y rhennir y ddynoliaeth yn ddau ddosbarth, sef y rhai sy'n derbyn ac yn croesawu efengyl y deyrnas a'r rhai sy'n ei hanwybyddu neu yn ei gwrthod.

Y Dydd a'r Awr

Neges y ddameg yw'r pwysigrwydd o fod yn wyliadwrus ac yn barod ar gyfer dyfodiad teyrnas Dduw. Geiriau agoriadol y ddameg yw, *'Y pryd hwnnw bydd teyrnas nefoedd yn debyg i ddeg o enethod ...'* (adn. 1). Mae esbonwyr wedi amrywio yn eu dehongliad o ystyr y term, *'y pryd hwnnw'.* Gwyddai ei wrandawyr Iddewig at beth yr oedd Iesu'n cyfeirio. Bu Duw dros y canrifoedd yn eu paratoi trwy'r proffwydi i ddisgwyl 'Dydd yr Arglwydd', sef dyfodiad yr oes feseianaidd newydd pan fyddai'n datguddio ei nerth a'i allu achubol ym mywyd y genedl.

Ond pan ddaeth ei Fab Iesu Grist i'r byd a chyhoeddi fod oes y deyrnas wedi gwawrio, fe'i gwrthodwyd gan yr awdurdodau ac yn y diwedd fe'i croeshoeliwyd. Cyhoeddi fod y deyrnas ar ddod yn ei llawnder a wna Iesu yn y ddameg hon, ac y dylai pawb fod yn effro ac yn barod i'w derbyn. A dyna arwyddocâd geiriau olaf y ddameg: *'Byddwch wyliadwrus gan hynny, oherwydd ni wyddoch na'r dydd na'r awr'* (adn. 13). Ystyrir dyfodiad y deyrnas yn *argyfwng,* ac y mae C. H. Dodd yn gosod y ddameg hon ymysg detholiad o ddamhegion ar thema *Argyfwng y Deyrnas,* gan annog pobl i fod yn effro ac yn wyliadwrus bob amser. Ond y mae'n amlwg fod awdur yr efengyl yn rhoi ei ddehongliad unigryw ei hun ar y ddameg ac yn ei defnyddio i adlewyrchu meddwl a dyhead yr Eglwys Fore.

Ni cheir y ddameg hon ond ym Mathew yn unig. Addaswyd hi ganddo i fynegi gobaith y Cristnogion cynnar y byddai Iesu'n dychwelyd, ac yn dychwelyd yn fuan, ar gymylau'r nef (y *parousia,* sef yr ailddyfodiad). *'Y dydd a'r awr'* (adn. 13) iddynt hwy oedd dydd ei ddychweliad. Disgwylient yn eiddgar am y dydd hwnnw, ond fel yr âi'r blynyddoedd heibio a dim arwydd o'r ailddyfodiad i'w weld, pylodd yr ysbryd disgwylgar a daethpwyd i dderbyn nad yn y dyfodol agos y byddai Iesu'n dychwelyd. Dyna ystyr y cyfeiriad yn y ddameg at y priodfab *'yn hwyr yn dod'* (adn. 5). Datblygwyd elfennau alegorïaidd eraill. Gwelwyd y priodfab fel darlun o'r Meseia, y morynion fel yr eglwys yn disgwyl ailddyfodiad Iesu, a'r drws clo fel Dydd y Farn. Ond go brin y byddai Iesu wedi adrodd dameg am ei ailddyfodiad ei hun.

Sôn y mae'r ddameg am ddyfodiad teyrnas nefoedd. Man cychwyn dyfodiad y deyrnas yn yr Efengylau yw ymddangosiad Iesu Grist ei hun. Er bod y deyrnas eto i ddod yn ei chyflawnder, y mae wedi dechrau yn ymddangosiad Iesu. O ganlyniad, y mae pwyslais y ddameg ar fod yn barod ac yn effro ar gyfer ei ddyfodiad, pa bryd bynnag y daw, yn dal yn berthnasol.

Neges y Ddameg Heddiw

Beth yw neges y ddameg i'n hoes ni? Sut mae dehongli ystyr *'y dydd a'r awr'* i'n ffydd a'n bywyd Cristnogol heddiw? I'r hen esbonwyr, galwad oedd y ddameg hon ar bobl i baratoi ar gyfer marwolaeth. Mae'n berffaith wir, wrth gwrs, na ŵyr neb y dydd na'r awr y bydd yn rhaid iddo wynebu'r diwedd ac y mae'n bwysig paratoi ar gyfer hynny. Ond dameg yw hon ar gyfer byw, lawn mwy nag ar gyfer marw. Anogaeth sydd ynddi i fod yn barod ar gyfer dyfodiad y deyrnas. Ac ystyr dyfodiad y deyrnas yw dyfodiad Iesu ei hun. I ba le bynnag y daw Iesu, daw â'r deyrnas i'w ganlyn. Ac nid digwyddiad yn perthyn i'r gorffennol pell yw dyfodiad Iesu, ac yna disgwyl hir cyn iddo ddod eto. Y mae Iesu Grist yn dod i mewn i fywydau pobl o hyd, a hynny mewn ffyrdd annisgwyl ac annhebygol. Digwyddiad parhaol yw dyfodiad Iesu – 'digwyddiad estynedig', yng ngeiriau C. H. Dodd. Y mae'n dod atom trwy ei Air, yn addoliad a chymdeithas ei eglwys, yn nistawrwydd gweddi, trwy ddylanwad person arall arnom, trwy brofiad o dröedigaeth ysgytiol, yng ngwewyr argyfwng ysbrydol. Ein cred yw y daw dydd pan fydd yn dod yng nghyflawnder ei ogoniant i ddwyn ei deyrnas i'w llawnder. Ond daw atom hefyd ar bererindod bywyd mewn amrywiol ffyrdd, dim ond i ni wylio pob cyfle i'w dderbyn a'i groesawu. Neges y ddameg hon yw fod amodau pendant i dderbyn Iesu Grist a'i deyrnas.

Disgwyl Dyfodiad y Deyrnas

Yn gyntaf, *rhaid bod yn effro, yn barod ac yn wyliadwrus bob amser.* Y gwahaniaeth mawr rhwng y genethod call a'r rhai ffôl yn y ddameg yw fod y rhai call wedi gofalu am gyflenwad ychwanegol o olew ar gyfer eu lampau. Pallodd olew y rhai ffôl oherwydd eu diofalwch a'u hesgeulustod. Cyflwr peryglus yw bod yn ddiofal, ac yn arbennig felly mewn perthynas â phethau ysbrydol. Amhosibl yw cyflawni unrhyw beth o bwys heb baratoi gofalus. Nid y noson cynt y mae dechrau paratoi ar gyfer arholiad. Nid heb lawer iawn o ymarfer y mae mentro cystadlu ar lwyfan eisteddfod. Nid heb flynyddoedd o ddysgu ac ymarfer y mae meistroli iaith newydd. Nid pethau sy'n dod ar y funud olaf yw gwybodaeth na doniau na doethineb. Yn yr un modd rhaid meithrin ffydd, gweledigaeth, ymroddiad a doniau ysbrydol. Y tristwch mwyaf yn y dyddiau hyn o ddirywiad moesol a chrefyddol yw fod cynifer o grefyddwyr yn ddiofal, yn ddihidio ac yn esgeulus. Y mae pob cyfnod o ddisgwyl yn gofyn am ymdrech, disgyblaeth a ffydd.

Yn ail, *ni ellir pwyso ar ffydd ac adnoddau ysbrydol pobl eraill.* Rhaid i bawb fod yn barod drosto'i hun. Pan ofynnodd y genethod ffôl am gyfran o olew y rhai call, y peth caredig a chymdogol fyddai i'r rhai call rannu gyda'u ffrindiau anffodus. Ond yn hyn o beth y mae gwahaniaeth rhwng pethau materol a phethau ysbrydol. Y mae dyletswydd ar bob Cristion i rannu ei adnoddau materol gyda'r rhai anghenus. Ond ni ellir benthyca doniau ysbrydol na'u rhoi ar fenthyg. Ni ellir benthyg ffydd na chymeriad. Gellir cynorthwyo pobl i gyrraedd at ffydd, ond ni ellir trosglwyddo ffydd un person i berson arall. Y mae ymateb i ddyfodiad y deyrnas yn gyfrifoldeb personol.

Yn drydydd, *rhaid gwylio rhag colli cyfleoedd bywyd.* Oherwydd eu diofalwch collodd y morynion ffôl y cyfle i ymuno yn y wledd: *'a chlowyd y drws'* (adn. 10). Y mae gan yr Iddewon ddihareb, 'Nid yw drws a gaewyd yn hawdd ei agor'. Y mae colli cyfle fel drws yn cau oherwydd anaml y daw cyfle tebyg eto: cyfle i ehangu gorwelion, i weld y byd, i fynd i goleg, i newid gwaith, i wneud tro da. Un o ddeddfau bywyd yw fod diofalwch ac esgeulustod yn arwain at golli cyfle. Y mae hyn yn arbennig o wir am y bywyd ysbrydol. Dywed J. S. Stewart iddo ymweld â gŵr oedd yn wael mewn ysbyty a gofynnodd a hoffai iddo offrymu gair o weddi. 'Na,' meddai'r dyn, 'fuo gen i erioed amser i'r math yna o beth.' Dim amser! Ac eto, meddai Stewart, yr oedd wedi byw trwy 4,000 a mwy o Suliau! Miloedd o gyfleoedd wedi'u colli a'u colli am byth. Rhaid bod ar ein gwyliadwriaeth rhag colli'r cyfleoedd i ennill y pethau mwyaf eu pwys, yn enwedig y cyfleoedd i dderbyn a chroesawu'r Crist byw a ddaw atom dro ar ôl tro mewn amrywiol ffyrdd ar daith bywyd.

Cwestiynau i'w trafod:

1. *Ym mha ystyr y mae Iesu Grist yn dod atom heddiw?*

2. *Diofalwch ac esgeulustod ymhlith Cristnogion yw gelynion mwyaf crefydd gyfoes. A ydych yn cytuno?*

3. *Beth yw ystyr yr ailddyfodiad yng nghred y Cristion heddiw?*

Y CODAU O ARIAN

Mathew 25: 14–30

Enw arall ar 'god o arian' yw 'talent', sef tua phum mil o bunnoedd yn ein harian ni heddiw, ac i lawer mae'r ddameg hon yn fwy adnabyddus fel Dameg y Talentau. Ystyr y gair *talent* i ni yw dawn gynhenid, fel dawn canu, neu farddoni, neu actio, neu ddawn fathemategol neu ieithyddol. Dywedoddd Samuel Johnson, 'Os gofynnir i mi ar y dydd olaf roi cyfrif o'r dalent a roddwyd i mi, ni allaf wneud dim ond erfyn am drugaredd yr Arglwydd Iesu'. Fel rhan o ddysgeidiaeth Iesu am y dydd olaf a'r ailddyfodiad y dehonglir y ddameg gan Mathew. Mae'n ei gosod yn union ar ôl Dameg y Deg Geneth, sy'n diweddu â'r geiriau, '*Byddwch wyliadwrus gan hynny, oherwydd ni wyddoch na'r awr na'r dydd*' (adn. 13). Os neges y geiriau hynny yw'r pwysigrwydd o fod yn barod ar gyfer dyfodiad y diwedd, neges Dameg y Codau o Arian yw pwysigrwydd gwneud y defnydd gorau posibl o roddion Duw yng nghyfnod yr aros am y diwedd. Nid amser i'w dreulio'n hamddenol ddioglyd yw'r cyfnod cyn ailddyfodiad Iesu, ond amser i wneud y gorau posibl o'r doniau a'r rhoddion a roddodd Duw inni.

Rhoi Eiddo yng Ngofal Gweision

Stori yw'r ddameg am ddyn yn mynd oddi cartref, ond cyn mynd y mae'n trefnu i roi ei eiddo yng ngofal ei weision. I un ohonynt rhoddodd bum cod o arian, i un arall ddwy, ac i'r trydydd un: '*i bob un yn ôl ei allu*' (adn. 15). Disgwyliai i'r tri gwas fasnachu, neu fuddsoddi'r arian, fel y byddai wedi cynyddu erbyn iddo ddychwelyd. Pan ddychwelodd ymhen amser canfu fod dau o'r gweision wedi dyblu'r hyn a ymddiriedwyd iddynt. Ond y mae prif ddiddordeb y ddameg yn y trydydd gwas. Nid yw hwnnw wedi gwneud dim ond cuddio'i god arian yn y ddaear, a hynny oherwydd ei fod yn ofni ei feistr caled. Credai mai gwell oedd iddo ddychwelyd yr hyn a ymddiriedwyd iddo na cholli'r cyfan wrth fentro ac anturio'n ormodol. Ymateb y meistr oedd ei feirniadu'n hallt: '*y gwas drwg a diog*' (adn. 26). Dylai o leiaf fod wedi rhoi'r arian yn y banc i ennill llog. Cymerir ei god arian oddi wrtho a'i rhoi i'r un a chanddo ddeg cod. Y ffaith fod Mathew yn defnyddio'r ddameg i atgoffa'i ddarllenwyr o'r ailddyfodiad a Dydd y Farn yw'r eglurhad am y gosb lem a bennir i'r trydydd gwas: *'bwriwch y gwas diwerth i'r tywyllwch eithaf; bydd yno wylo a rhincian dannedd'* (adn. 30). Ni fuasai gan yr un meistr dynol yr hawl na'r gallu i fwrw'i was diog i uffern. Heblaw hynny, fe gosbwyd y gwas druan eisoes trwy ei amddifadu o'i dalent. Ac nid yw'r gosb ychwaith yn cyfateb i'r drosedd. Wedi'r cwbl, dychwelodd y god arian i'w feistr heb ddwyn dim ohoni. Gallwn fod yn sicr mai atodiad diweddarach gan yr Eglwys Fore yw'r geiriau hyn, gyda'r amcan o gysylltu'r ddameg â'r farn olaf.

Ffurf Wreiddiol y Ddameg

Ceir dameg debyg i hon gan Luc (19: 12–27), sef dameg y Deg Darn Aur. Er bod prif wers y ddwy yn debyg, sef pwysigrwydd defnyddio rhoddion Duw yn gyfrifol, y mae gwahaniaethau amlwg rhyngddynt ac fe'u gosodir o fewn cysylltiadau gwahanol. Yn lle tri gwas, fel a geir ym Mathew, ceir deg gan Luc, er na chlywn am yr hyn a ddigwyddodd ond i dri ohonynt. Ym Mathew rhoddir symiau anghyfartal i'r tri gwas, a'r rheini'n symiau mawr, ond yn Luc rhoddir punt i bob un, ac y mae'r ddau was llwyddiannus yn derbyn gwobrau anghyfartal. Ym Mathew, ar y llaw arall, dechreuant gyda symiau anghyfartal a diweddu gyda gwobrau cyfartal. Barn y mwyafrif o esbonwyr yw mai dwy ffurf wahanol ar yr un ddameg ydynt, ond bod Luc wedi ychwanegu ati ran o stori arall am Frenin a'i ddeiliaid.

Cysylltodd Mathew y ddameg ag ailddyfodiad Iesu Grist, ond gosododd Luc hi o fewn hanes Iesu yn agosáu at ddinas Jerwsalem: *'fe aeth ymlaen i ddweud dameg, am ei fod yn agos i Jerwsalem a hwythau'n tybied fod teyrnas Dduw i ymddangos ar unwaith'* (Luc 19: 11). Ond beth oedd neges wreiddiol y ddameg ar wefusau Iesu? Wrth roi'r sylw pennaf i'r gwas a gladdodd ei god arian yn lle ei defnyddio i fasnachu, awgryma C. H. Dodd ac esbonwyr eraill mai cystwyo'r Phariseaid yn arbennig a wna Iesu yn y ddameg. Credai'r Phariseaid mai eu prif ddyletswydd hwy oedd cadw a diogelu'r hyn a ymddiriedwyd iddynt gan Dduw, sef y Gyfraith a defodau Iddewiaeth, heb sylweddoli fod Duw yn galw arnynt i fuddsoddi eu hetifeddiaeth mewn cenhadaeth fyd-eang i achub pechaduriaid a'r cenedl-ddynion. Ac am iddynt esgeuluso a gwrthod defnyddio dawn Duw iddynt fe'i dygir oddi arnynt a'i rhoi i eraill, sef i'r Israel newydd, yr eglwys. Ond y mae perygl i'r eglwys hefyd ddisgyn i'r un bai, sef cadw rhodd fawr yr efengyl iddi hi ei hun, yn hytrach na 'marchnata' â hi yn y byd er mwyn ennill eraill i'r deyrnas.

Gras a Chyfrifoldeb

Priod waith yr eglwys yw mynd â'r efengyl i'r byd er mwyn achub unigolion i fywyd y deyrnas ac er mwyn achub y byd i werthoedd ac ysbryd Crist. Os yr eglwys yw'r Israel newydd, y mae Duw yn gosod arni hi'r cyfrifoldeb o ddefnyddio a datblygu'r rhoddion a'r doniau a rydd Duw iddi er mwyn cyflawni ei genhadaeth ef yn y byd. O ganolbwyntio ar brif neges y ddameg, gwelwn fod gwirioneddau eraill yn codi ohoni.

Yn gyntaf, *y codau arian yw'r efengyl a'r rhoddion a'r doniau a ddaw inni drwyddi.* Rhodd Duw yw pob peth a feddwn – ein doniau, ein galluoedd a'n hadnoddau – ac y mae'r cwbl wedi eu hymddiried inni i'w defnyddio er ei ogoniant. Ond er bod llawer yn dehongli'r ddameg yn yr ystyr gyffredinol yna, nid dyna yw ei neges ganolog. Y mae ei phrif bwyslais ar y cyfoeth arbennig a roddir i ddilynwyr Iesu yn yr efengyl ac yn ei genhadaeth fawr ef i'r byd. Y *gweision* yn y ddameg yw'r gymdeithas Gristnogol ym mhob oes. Galwodd y meistr ei weision ynghyd *'a rhoi ei eiddo yn eu gofal'* (adn. 14). Caethweision oeddynt, heb ddim yn eiddo iddynt eu hunain a heb hawl i ddim. Ni ddychmygodd neb o'r gweision y deuai cymaint o gyfoeth i'w dwylo. O gofio'r gwahaniaeth mawr rhwng gwerth arian yn y dyddiau hynny a'u gwerth heddiw, gwelir bod y symiau yn enfawr. Nid yw'r tri gwas yn derbyn yr un nifer o godau arian â'i gilydd: pump i'r cyntaf, dau i'r ail ac un i'r trydydd. Nid yw Iesu'n bwrw holl gyfoeth ei ras i ddwylo pobl yn ddiwahaniaeth. Yn hytrach, y mae'n rhoi ystyriaeth ofalus i allu pob un person i'w dderbyn a'i ddefnyddio. Y mae pob person yn gyfartal yng ngolwg Duw, ond nid yw pob un yn gyfartal o ran gallu. Y mae ambell un â'i ddoniau a'i alluoedd yn fawr a gellir ymddiried llawer iddo. Mae eraill â'u doniau'n llawer llai. Ond nid oes neb yn rhy fach ei gyraeddiadau i gymryd rhan yng nghenhadaeth fawr y deyrnas.

Yn ail, *y mae rhodd yr efengyl yn gosod cyfrifoldeb enfawr ar y rhai sy'n ei derbyn.* Gosodwyd cyfrifoldeb ar y gweision wrth i'r meistr ymddiried ei eiddo i'w gofal. Nid eu heiddo hwy eu hunain i wneud fel y mynnent â hwy oedd y codau arian. Yn hytrach, roedd disgwyl iddynt ddefnyddio'u doniau a'u dychymyg i farchnata a buddsoddi fel y byddai arian eu meistr yn cynyddu o dan eu gofal. Aeth gwas y pum talent allan i farchnata ac enillodd gymaint mwy. Gwnaeth gwas y ddwy dalent yr un modd. Ond aeth gwas yr un dalent allan i'r maes a thorrodd dwll yn y ddaear a chladdu ei dalent. Yr unig wasanaeth y medrai feddwl amdano oedd cadw a diogelu'r hyn a roddwyd yn ei ofal. Methiant a diffyg menter y trydydd gwas yw canolbwynt y ddameg. Y mae Iesu am inni ddeall y daw'r deyrnas yn ei llawnder i'r graddau y byddwn yn gweithio i'w hybu. Os ydym am weld achos Crist yn llwyddo, rhaid torchi llewys ac ymdaflu i'r gwaith. Ceir meddylfryd od ymhlith llawer o grefyddwyr Cymraeg, sef mai diwygiad yw'r ateb i bob argyfwng; na fedrwn wneud dim ond gofyn i Dduw anfon ei Ysbryd drachefn i adfer a bywhau ei eglwys. Na, meddai Iesu. Mae Duw yn bendithio'r gwaith i'r graddau y byddwn ni yn rhoi o'n doniau a'n hamser a'n hegnïon i'w hyrwyddo. Yn yr un modd, yr ydym yn tyfu ac aeddfedu fel Cristnogion unigol i'r graddau yr ydym yn meithrin a datblygu'r doniau ysbrydol sydd ynom.

Yn drydydd, *y mae'r sawl sy'n derbyn rhodd yr efengyl yn gorfod rhoi cyfrif o'i ddefnydd ohoni.* Ymhen hir a hwyr mae'r meistr yn dychwelyd ac yn adolygu cyfrifon y gweision. Wedi i weision y pum talent a'r ddwy dalent roi eu cyfrif, cânt eu canmol a rhoddir arnynt gyfrifoldeb mwy eto: *'buost yn ffyddlon wrth ofalu am ychydig, fe osodaf lawer yn dy ofal'* (adn. 21, 23). A chânt eu gwahodd i rannu yn llawenydd y wledd a baratowyd ar eu cyfer. Ond pan ddaeth gwas yr un dalent gyda'i esgusodion, daw dan lach ei feistr: *'y gwas drwg a diog'* (adn. 26). Onid oedd yn barod i ddefnyddio'r dalent ei hun, fe ddylsai fod wedi ei gosod yn y banc, *'a buasai fy arian wedi ennill llog erbyn i mi ddod i'w hawlio'* (adn. 28). Cymerir yr un dalent oddi wrtho a'i rhoi i'r un a chanddo ddeg talent. Y mae rhoddion Duw o'u defnyddio yn cynyddu, ond o'u hesgeuluso yn diflannu. Dyna ystyr y geiriau, *'i bawb y mae ganddo y rhoddir, a bydd ar ben ei ddigon, ond oddi ar yr hwn nad oes ganddo fe gymerir hyd yn oed yr hyn sydd ganddo'* (adn. 29).

Y mae rhybudd arswydus yn y geiriau hyn. Oni fyddwn yn meithrin a datblygu'n ffydd a'n tystiolaeth, byddant yn edwino, yn gwywo ac yn darfod. Does dim cyflwr llonydd, statig yn y bywyd Cristnogol; y mae cynnydd neu leihad, twf neu ddirywiad. Fe ŵyr pob artist a llenor a cherddor pa mor bwysig yw ymarfer eu doniau, neu fe fyddant yn colli'r doniau sydd ganddynt. Felly hefyd, meddai Iesu, gyda'r efengyl, yr ymddiriedaeth fwyaf a roddir inni gan Dduw.

Cwestiynau i'w trafod:

1. Beth a olygir wrth y codau arian yn y ddameg?

2. Beth yw'r cyfrifoldeb a osodir arnom o dderbyn rhodd a doniau'r efengyl?

3. Beth yw ystyr y geiriau, 'I bawb y mae ganddo y rhoddir, ond oddi ar yr hwn nad oes ganddo fe gymerir hyd yn oed hynny sydd ganddo'?

Y FARN FAWR

Mathew 25: 31–46

Ysgolhaig Iddewig, C. G. Montefiore, a ddisgrifiodd y ddameg hon, flynyddoedd yn ôl, fel 'y rhan fwyaf aruchel o'r efengyl'. A gofynnodd, 'Sawl gweithred o gariad a thosturi, sawl act o aberth a defosiwn a ysbrydolwyd gan y geiriau hyn dros yr ugain canrif diwethaf?' Erbyn heddiw y mae geiriau a neges y ddameg yn ganolog i'n ffydd a'n hymddygiad Cristnogol. Ond i wrandawyr cyntaf Iesu byddai ei eiriau wedi peri cryn syndod. Credai Iddewon y cyfnod y byddai Duw yn eu barnu yn ôl dau faen prawf. Yn gyntaf, ufudd-dod manwl i ofynion y Gyfraith a'r Deg Gorchymyn; yn ail, eu tras Iddewig – y syniad y byddai Duw yn eu barnu'n fwy ffafriol na chenhedloedd eraill am eu bod yn perthyn i'w genedl etholedig. Un o brif ddibenion y farn olaf fyddai gwaredu'r genedl o orthrwm a chosbi ei gelynion. Ond, yn ôl Iesu, bydd Duw yn eu barnu yn ôl safon hollol wahanol, sef eu hagwedd tuag at y tlawd, y newynog a'r gorthrymedig.

Darlun Apocalyptaidd

Y mae nifer o esbonwyr wedi cwestiynu a ddylid ystyried yr adran hon yn ddameg o gwbl. Y mae'n rhannol yn gyffelybiaeth, yn alegori ac yn ddarlun apocalyptaidd. Yn ei ffurf bresennol y mae'n gymysgedd o ddisgrifiad Iddewig o Ddydd y Farn ac o rannau o ddameg wreiddiol gan Iesu Grist. Yng nghyfnod y traddodiad llafar, cyn ysgrifennu'r Efengylau, ychwanegwyd at y ddameg elfennau o ddisgrifiad o'r farn olaf sydd â nodweddion apocalyptaidd Iddewig yn amlwg ynddo. Mae'r disgrifiad o Fab y Dyn yn dod gyda gosgordd o angylion i farnu'r cenhedloedd yn cyfateb yn hollol i'r hyn a geir mewn llenyddiaeth apocalyptaidd. Yr oedd y farn ar y cenhedloedd yn rhan o obaith yr Iddewon. Edrychent ymlaen at weld y cenhedloedd yn cael eu cosbi am orthrymu cenedl Israel. Yn yr un modd y mae blas apocalyptaidd ar y disgrifiad o Fab y Dyn fel bugail yn didoli'r defaid oddi wrth y geifr, gan osod 'y defaid ar ei law dde', yn arwydd o ffafr ac anrhydedd, 'a'r geifr ar y chwith' (adn. 33), sef ochr yr iselradd a'r gwrthodedig.

Yna deuwn at y ddameg ei hun: 'Yna fe ddywed y brenin wrth y rhai ar y dde iddo' (adn. 34). Wrth gysylltu'r ddameg â'r darlun o Fab y Dyn yn eistedd i farnu'r cenhedloedd aeth y rhan agoriadol ar goll. Nid oedd Iesu byth yn defnyddio'r teitl 'brenin' amdano'i hun ac y mae'n bur debyg y byddai geiriau agoriadol y ddameg yn dangos nad ato'i hun y cyfeiriai yn y fan yma. Fodd bynnag, y mae Mathew yn cysylltu'r ddau. Mab y Dyn yn eistedd ar ei orsedd yw'r brenin sydd yn siarad yn enw Duw. Mae hwn yn ddarlun sydd yn gyson â chred Mathew fod Iesu, a ddaeth mewn gwyleidd-dra ac a ddioddefodd ar y groes, bellach yn frenin â'r awdurdod ganddo i farnu'r cenhedloedd.

Y Defaid a'r Geifr

Seilir y cyfeiriadau at 'ddefaid a geifr' ar Eseciel 34. Wedi didoli rhyngddynt y mae'r brenin yn cyhoeddi ei ddedfryd. Dywed wrth y defaid ar ei law dde, 'Dewch, chwi sydd dan fendith fy Nhad, i etifeddu'r deyrnas a baratowyd ichwi er seiliad y byd' (adn. 34). Y mae Duw wedi darparu teyrnas i'r fath rai cyn y creu a chyn dechrau amser. I'r rhai sy'n byw yn unol â meddwl ac ewyllys Duw y mae eu hymddygiad tosturiol a chariadus yn cyd-fynd â chyfansoddiad moesol y cread. Pwyslais cyson yr Hen Destament yw fod Duw yn disgwyl i'w bobl ymateb yn drugarog a thosturiol tuag at y gwan a'r tlawd.

> Onid dyma'r dydd ympryd a ddewisais:
> tynnu ymaith rwymau anghyfiawn, a llacio clymau'r iau,
> gollwng yn rhydd y rhai a orthrymwyd, a dryllio pob iau?
> Onid rhannu dy fara gyda'r newynog,
> a derbyn y tlawd digartref i'th dŷ,
> dilladu'r noeth pan y'i gweli,
> a pheidio ag ymguddio rhag dy deulu dy hun?' (Eseia 58: 6–7)

Yn y diwedd, egwyddor sylfaenol y didoli yw ymddygiad pobl tuag at y rhai truenus eu cyflwr. Y cwestiwn tyngedfennol yw, a roesent fwyd i'r newynog, diod i'r sychedig, llety i'r dieithr, dillad i'r noeth, a chysur i'r claf a'r caeth? Wrth weithredu trugaredd at 'un o'r lleiaf o'r rhain, fy *nghymrodyr',* y maent yn gwasanaethu Iesu ei hun: '*i mi y gwnaethoch'* (adn. 40).

Y mae rhai esbonwyr wedi dadlau fod y gair 'cymrodyr' yn cyfeirio at ddisgyblion Iesu, ac o ganlyniad mai'r hyn a gymeradwyir yw'r cymorth a estynnir i gynrychiolwyr Iesu yn eu gwaith a'u dioddefaint wrth ledaenu'r deyrnas yn y byd, yn enwedig y rhai a erlidir. Ond y mae esboniad o'r fath yn cyfyngu'n ormodol ar eiriau Iesu. Cryfder y ddameg hon yw ei haeriad pendant fod trueniaid cymdeithas – y newynog, y sychedig, y dieithryn, y noeth, y claf a'r carcharor – pa le bynnag y bônt, i'w hystyried yn frodyr a chwiorydd i Iesu, a bod pob gweithred o drugaredd a ddangosir iddynt yn gyfystyr â gwasanaethu Iesu ei hun. A rhag bod unrhyw gamddeall ar bwysigrwydd yr egwyddor sylfaenol hon, y mae Iesu yn ei mynegi mewn ffurf negyddol yn ogystal â ffurf gadarnhaol: '*Yn wir, rwy'n dweud wrthych, yn gymaint ag ichwi beidio â'i wneud i un o'r rhai lleiaf hyn, nis gwnaethoch i minnau chwaith'* (adn. 45).

Daw'r darlun arswydus o'r '*tân tragwyddol a baratowyd i'r diafol a'i angylion'* (adn. 41) eto o lenyddiaeth apocalyptaidd Iddewig ac ni ddylid ei gymryd fel disgrifiad llythrennol o gyflwr y colledig. Ond y mae yma wirionedd ysbrydol pwysig. Wrth ein creu yn rhydd y mae Duw wedi rhoi inni'r hawl i gefnu arno, i wrthod ei ewyllys, a thrwy hynny i'n torri'n hunain i ffwrdd o berthynas ag ef ac o'r addewid o fywyd tragwyddol. Y wobr am weithredu egwyddorion y deyrnas yw ei hetifeddu, a'r gosb am beidio â'u gweithredu fydd colli'r deyrnas am byth. Ond os oes ystyr o gwbl i'r ymadrodd, '*fe â'r rhain ymaith i gosb dragwyddol'* (adn. 46), yr hyn a olygir yw gwahaniad llwyr a thragwyddol oddi wrth Dduw. Wedi dweud hynny, peth peryglus yw damcaniaethu ar sail iaith symbolaidd. Rhaid cofio hefyd fod adrannau eraill o'r Ysgrythur yn awgrymu bod trugaredd a maddeuant Duw yn fwy na'i awydd i gosbi.

Gwasanaethu Cyd-ddyn

Neges ganolog y ddameg hon yw fod gwasanaethu cyd-ddyn yn bwysicach na dim arall o fewn bywyd y deyrnas. Ond nid yw hyn yn awgrymu y gall neb ennill iachawdwriaeth trwy weithredoedd da. Daw iachawdwriaeth trwy garu Duw ac ymddiried ynddo. Ond profir ein cariad at Dduw yn ansawdd ein cariad at gyd-ddyn, yn enwedig pan yw ein cariad yn ddirodres ac anhunanol. Dywed y ddameg hon rai pethau o bwys am natur y cariad cymwynasgar hwn.

Yn gyntaf, *mae'n mynegi ei hun mewn pethau syml.* Nid pawb sy'n medru cyflawni cymwynasau mawr: talu am sefydlu ysgol yn Uganda neu noddi ysbyty yn India. Ond mae Iesu'n sôn am gyflawni pethau bychain – rhoi pryd o fwyd i un sy'n newynu, diod o ddŵr i un sy'n sychedig, croesawu dieithryn, dilladu un sy'n noeth, ymweld â chlaf ac â charcharor. Pethau yw'r rhain sydd o fewn cyrraedd pawb. Gall pob un ohonom bob dydd estyn cymorth i bobl anghenus o'n cwmpas, neu gyfrannu tuag at waith Cymorth Cristnogol i helpu tlodion mewn gwledydd pell. Meddai A. M. Hunter, 'There never was a parable which so opened the way to glory to the simplest people.'

Yn ail, *mae'r cariad hwn yn ganlyniad dilyn Iesu a byw yn debyg iddo.* Fe aeth Iesu oddi amgylch gan wneud daioni ac y mae'r rhai sy'n ei ddilyn ef yn gweithredu'n debyg iddo. Mae ei fywyd ef yn llenwi ac yn llywio eu bywyd hwy. Mae ei amcanion ef yn mynd yn ail natur iddynt hwy. Nid yw o bwys i bwy y gwneir daioni. Yr hyn sy'n bwysig yw ymateb i angen eraill yn reddfol ac yn ysbryd a meddwl Crist. Dyna yw arwyddocâd y syndod a fynegir gan y rhai cyfiawn, *'Pryd y'th welsom di'n newynog a'th borthi, neu'n sychedig a rhoi diod iti?'* (adn. 37). Campwaith y rhai cyfiawn yw eu bod yn gwneud daioni heb sylweddoli mor werthfawr yw eu gwasanaeth yng ngolwg eu Harglwydd. Nid ydynt yn cyflawni gweithredoedd da er mwyn ennill cymeradwyaeth a chlod. Yn hytrach y maent yn ymateb yn naturiol, yn reddfol ac yn ddiddichell i drueni ac anghenion eraill.

Yn drydydd, *mae'r sawl sy'n gweithredu'r cariad hwn yn gwasanaethu Iesu ei hun.* Y mae Iesu ei hun yn ein cyfarfod yn ei gymrodyr lleiaf. Gweddïwn ninnau,

> Gad imi weld dy wyneb di
> Ym mhob cardotyn gwael.

Ond y mae'r rhai cyfiawn yn gwneud daioni i eraill heb sylweddoli eu bod yn gwasanaethu Iesu. Nid ydynt yn gweld dim ond y cardotyn. Disgrifiwyd y ddameg hon gan rywun fel 'a story of great surprises'.

Syrprèis mawr y rhai cyfiawn oedd canfod eu bod, yn ddiarwybod, wedi gwasanaethu Iesu wrth wasanaethu eu cyd-ddynion. Syrprèis poenus y colledig oedd eu bod wedi colli cyfle i wasanaethu Iesu.

Adroddir stori am Martin o Tours, y milwr a'r sant. Un bore oer gwelodd gardotyn wrth borth y ddinas. Nid oedd ganddo ddim i'w roi iddo, ond tynnodd ei glogyn oddi amdano, rhwygodd ef yn ddau, rhoddodd un darn i'r cardotyn a chadwodd y darn arall iddo'i hun. Y noson honno cafodd Martin freuddwyd. Yn ei freuddwyd gwelai Iesu yng ngogoniant y nefoedd a'r angylion o'i amgylch. Er mawr syndod iddo gwelai fod Iesu'n gwisgo'r hanner clogyn milwrol a roddodd y diwrnod hwnnw i'r cardotyn tlawd. '*Yn gymaint ag ichwi ei wneud i un o'r lleiaf o'r rhain ...*' (adn. 40).

Cwestiynau i'w trafod:

1. A oes lle i'r syniad o farn derfynol yn ein Cristnogaeth gyfoes?

2. Ym mha ystyr y mae gwasanaethu cyd-ddyn anghenus yn gyfystyr â gwasanaethu Iesu?

3. Neges y ddameg hon yw fod disgwyl i'r Cristion fyw bywyd Iesu, cyflawni gweithredoedd Iesu ac efelychu esiampl Iesu. A ydych yn cytuno?

LLYFRYDDIAETH

Barclay, William: *And Jesus Said: The Parables of Jesus,* 1970.
Brunner, Emil: *Sowing and Reaping: The Parables of Jesus,* 1964.
Buttrick, G. A.: *The Parables of Jesus,* 1928.
Cadoux, A.T.: *The Parables of Jesus,* 1937.
Crossan, J. D.: *In Parables: The Challenge of the Historical Jesus,* 1994.
Dodd, C. H.: *The Parables of the Kingdom,* 1935.
Evans, Trebor Lloyd: *Damhegion y Deyrnas,* 1949.
Findlay, J. Alexander: *Jesus and his Parables,* 1950.
Getty-Sullivan, M.A.: *Parables of the Kingdom: Jesus and the Use of Parables in the Synoptic Tradition, 2008.*
Herzog, William: *Parables as Subversive Speech: Jesus as Pedagogue of the Oppressed, 1994.*
Hunter, A. M.: *Interpreting the Parables,* 1960.
Hunter, A. M.: *The Parables for Today,* 1983.
Jeremias, Joachim: *The Parables of Jesus,* 1954.
Johnson, Terry: *The Parables of Jesus,* 2007.
Linnemann, Eta: *Parables of Jesus: Introduction and Exposition,* 1966.
Longenecker, Richard N.: *The Challenge of Jesus' Parables,* 2000.
M'Fadyen, J. F.: *The Message of the Parables,* 1961.
McBride, Denis: *The Parables of Jesus,* 1999.
Scott, B. Brandon: *Hear then the Parable: A Commentary on the Parables of Jesus,* 1990.
Schottroff, Luise: *The Parables of Jesus,* 2006.
Shillington, V. G.: *Interpreting the Parables of Jesus Today,* 1997.
Thielicke, Helmut: *The Waiting Father: Sermons on the Parables of Jesus,* 1960.
Wenham, David: *The Parables of Jesus: Pictures of Revolution,* 1989.
Wright, Stephen: *Tales Jesus Told: An Introduction to the Narrative Parables of Jesus, 2003.*
Young, Brad H.: *The Parables: Jewish Tradition and Christian Interpretation,* 1998.